自習刑事訴訟法31問

平野龍一編

有 斐 閣

はしがき

本書は、『自習刑法35問』と同じく、法学教室（別冊ジュリスト）に掲載された問題と解答とを収録したものである。だから、編纂の趣旨も、『自習刑法35問』の序文に述べたところと同じで、本格的な勉強に疲れたとき、ねころんで読んでいただきたい。

ただ、刑法ではアマチュアとプロフェッショナルとの間にそれほど違いがなく、アマチュアがたちまちプロの一線級になることもあり、プロがやっていることも、アマは理解し、批判できる。だから刑法の例題の方は、出題に専門家をわずらわせたが、読者にも親しみを失わせなかったと思う。ところが、訴訟法の方は、アマとプロとの差が大きい。ここに掲げられた例題も、あるいは少し専門的すぎて、読者にはとっつきにくい感じがするかもしれない。しかし、かみしめて読んでいただくと、専門の味がしみ出してくると思う。例題は、体系的でも網羅的でもないが、一つ一つがそれぞれの味を持っている。

なお、各問題の解答のはじめにある解説は、すべて田宮裕氏をわずらわせた。

昭和四〇年七月

平野龍一

問題

問題〔一〕　Aが、ある被告事件の審理を担当している裁判官を訪れ、その事件について話をしたいと申し出た。裁判官はどうすべきか。

問題〔二〕　つぎのばあい、裁判官は請求どおり勾留状を発することができるか。

(1)　自転車一台を窃取したとの事実により逮捕された被疑者について、これとは全然別個の横領の事実により検察官から勾留の請求があったとき。

(2)　右の被疑者につき、自転車窃盗と横領との両事実により勾留の請求があったとき。

問題〔三〕　にせ札作りの犯人を捜査中であった司法警察員Pは、印刷技術者Qが事件に関係しているという情報をつかみ、「通貨偽造被疑事件について、Qの居宅を捜索し、印刷機械、印刷用紙、その他本件に関係ありと思料される一切の物件を差し押えることを許可する」旨の裁判官の令状をもらった。しかし、出動準備に時間がかかり、捜索を開始した時は、日没後一時間たっていた。捜索の結果、印刷機械、印刷用紙、紙幣用特殊インク、および偽造計画を記載した日記帳が発見され、差押を受けた。Qは起訴されたが、公判廷で、弁護人は、右捜索差押の手続が違法だと非難し、これらの押収物を証拠にすることは許されないと主張した。この主張には理由があるか。

問題〔四〕　X食品株式会社の製造課長Yは、昭和三三年三月三日頃、酒類製造の免許を受けないで、会社の設備を使用し、清酒五〇リットルを製造した。検察官は、昭和三七年一月に至って右事実を知り、同年三月三日、行為者Yおよび会社Xを酒税法違反でT地方裁判所に起訴した。弁護人は、Xについては公訴時効が完成していると主張する。この主張は正しいか。

問題〔五〕　検察官は捜査の結果、XはYの教唆にもとづいて、A女（一八歳）を強姦したという心証に達した。そこで検察官はA女に告訴の意思の有無を確かめたところ、A女は検察官に対して告訴権を放棄する意思を表明した。A女の告訴権の放棄は有効か。

問題〔六〕 問題〔五〕において、検察官は、強姦罪としてはXに対し適法な公訴の提起は不可能と考えたので、強姦の手段たる暴行の事実についてのみ起訴した。この検察官の公訴の提起は適法であるか。

問題〔七〕 問題〔六〕において示したように、検察官は強姦罪の起訴を不可能と考えたので、強姦の教唆者たるYを不起訴処分にした。Yが不起訴処分になったのを知ったA女の父Bは、憤慨して直ちに検察官に対してYを告訴した。Bの提起した告訴は有効であるか。

問題〔八〕　問題〔七〕に関連して、検察官はBの告訴にもとづきXの訴因を強姦の事実に変更するとともに、Yの起訴を準備中、BとYとの間に示談が成立したので、BはYに対する告訴を取り消した。裁判所はXに対して実体判決をすることができるか。

問題〔九〕　素行不良で一年前から家出中の息子Bは、某夜父A方の家人の就寝中にその家に忍び込み、父A所有の時計、継母C所有の衣類を窃取逃走した。Bはその後逮捕され、家庭裁判所から逆送されて、地方裁判所に住居侵入、窃盗で公訴を提起され、公判廷で自白していたし、A、Cも提出した被害届を証拠とすることに同意したが、そこには処罰を求める意思の表示はなかった。証拠調終了後、検察官は住居侵入、窃盗により懲役一年に処するのが相当であるとの意見を述べ、弁護人Xは公訴棄却の裁判を求め、弁護人Yは住居侵入として罰金の裁判を求め、弁護人Zは刑の免除の判決を求めた。

それぞれの主張の理由を検討し、いかなる判決が相当かを考えよ。

問題〔一〇〕「甲銀行の業務担当重役Aは、Bに対し、Bの利益を計る目的を以て、昭和三十五年一月一日から同年十二月三十一日迄の間に約十五回にわたって金千二百三十四万円の不正貸付を行い、合計五百六十七万円の損害を銀行にあたえた」という公訴事実の記載があり、かつ罪名として刑法二四七条（背任罪）の記載された起訴状があったとする。この起訴状は有効か。

問題〔一一〕 問題〔一〇〕の起訴状の瑕疵は補正できるか。また裁判所はその点の釈明を求める義務があるか。検察官の法廷における口頭の釈明で補正があったものとみることができるか。

問題〔一二〕 問題〔一一〕に関連し、起訴状の瑕疵は有効に補正されたが、弁護人は、なお訴因の特定を欠いているため無効だというし、検察官は、起訴状としてはこれで十分で、いずれ詳細の点は立証段階で明らかにするという。裁判所としてはどのように決定すべきか。

問題〔一三〕 問題〔一二〕における瑕疵が治癒せられて立証段階に入ったところ、Aは犯意継続のうえで不正貸付をしたのではなく、Bの事業の状況、Bの依頼から三回にわたり犯意を更新してBを助けたことが明らかとなった。裁判所はどのようにすべきか。

問題〔一四〕 (1) 住居侵入・強姦致傷の起訴があったが、審理してみたら致傷はなく、単純な強姦と住居侵入の牽連犯と判明した。裁判所はどうすべきか。なお、強姦について告訴はない。

(2) 右のばあい、もともと強姦致傷について告訴がなされていたらどうか。

(3) 起訴の当時は告訴がなかったが、のちに追完されたばあいはどうか。強姦への訴因変更と同時に、検察官が有効な告訴を提示したばあいはどうか。

(4) 設問の(1)にかえって、告訴がないまま、審判を進め、住居侵入だけで有罪判決が下されたとしよう。その確定後、検察官は告訴をとりつけて、再び強姦を独立に起訴できるか。告訴があったのに、裁判所があやまってないと判断して、住居侵入だけで有罪としたばあい、実は告訴は存在していたといって強姦で起訴できるか。

問題〔一五〕　甲・乙・丙三裁判官の合議体で、ある被告事件を審理中、丙裁判官が転任したので、丁裁判官がこの合議体の構成員になり、公判手続を更新した。

(1)　旧構成のときに、弁護人からなされた証拠調の請求の効力はどうか。

(2)　旧構成のときに、A証人の尋問が行なわれた。この証人尋問は有効か。

(3)　右A証人の供述を証拠にするには、どうしたらよいか。

(4)　右のばあい、直接Aの供述を聞いた裁判官甲・乙は、Aの供述態度からして、その証言には十分な信憑力があるとしたが、調書の朗読を聞いた裁判官丁は、証言の信憑力について十分な心証を得なかった。このばあい、合議体の多数の意見により、Aの証言には信憑力がある、としてよいか。

(5) 丙裁判官には、除斥事由があったとすると、旧構成のときになされた証拠調の決定の効力はどうか。また、証人尋問の効力はどうか。

問題〔一六〕 被告人Xにつき、詐欺と横領の二個の事件が併合して審理されている。検察官は詐欺の事実を立証するためというので、商業帳簿の取調を請求し、裁判所はこれを採用して取り調べた。同帳簿の記載内容が横領の事実の証明にも役立つ関係にあるばあい、裁判所はこれを横領の事実の認定資料とすることができるか。

問題〔一七〕 つぎのばあいに、裁判所は有罪を言い渡すことができるか。

(1) 殺人であるか傷害致死であるかが判明しないとき。

(2) 宣誓した同一証人のあい異なった二つの供述があるとき。

(3) 窃盗であるか贓物収受であるかが判明しないが、そのいずれかであることが確かなとき。

(4) 花札を使用して金銭を賭け、俗にコイコイまたは後先と称する賭博をしたことは確かだが、それが「賭事」にあたるか「博戯」にあたるか不明なとき。

問題〔一八〕 不利益な事実の承認（admission）と利益に反する供述

(statement against interest) とは、どう違うか。

問題〔一九〕 A・B・Cの三人はVの殺害を共謀。その共謀にもとづいて、Aが拳銃を入手し、Bが直接殺害した。三人とも間もなく逮捕され、A・Bは三人の共謀の事実を警察官に自白したが（警察官の面前調書）、Cは否認し続けた。三人は共同被告人として起訴されたが、公判ではみな否認している。A・B・Cを有罪とする要件はなにか。なお、銃弾で殺された被害者の死体はでてきているが、共謀の日時・場所は必ずしもはっきりしない。

問題〔二〇〕 甲と乙とは、共犯として起訴され、併合審理をうけている。

(1) 検察官は、甲に対する証拠として、乙の供述を得たいと考えている。このばあい、公判を分離して乙を証人として尋問する方法と、乙を被告人として供述させる方法とがあるが、その利害得失はどうか。

(2) 検察官は、検察官の面前での乙の供述を録取した書面を甲に対する証拠として用いたい。どういう方法があるか。

(3) 検察官は、第三者丙の司法警察職員に対する供述調書の取調を請求した。甲はこれを証拠とすることに同意したが、乙は同意しなかった。裁判所は、この供述調書を甲との関係だけで証拠調をすることができるか。

(4) 甲、乙は、相手の、検察官の面前での供述を録取した書面を証拠とすることにたがいに同意した。ところが、この事件では、この供述調書以外に証拠はない。証拠調はどうするか。

(5) 証人丁を尋問することになったが、その公判期日に乙は出頭しなかったので甲だけ在廷のままで丁を尋問した。

(a) この丁の証言を乙に対して証拠とすることができるか。

(b) 右のばあい、甲に対する関係では公判期日とし、乙に対する関係では公判準備期日として、丁を尋問することができるか。

(c) 乙が右の公判調書を証拠とすることに同意したばあい、その丁の供述内容が、前に丁が検察官に対してした供述と相反

していると き、その検察官に対する供述調書を、乙に対して証拠とすることができるか。

(d) 乙が出頭しなかったため、甲のためにだけ証拠調をしたつぎの公判期日に、乙のために丁が証人として喚問された。甲は丁に対して反対尋問できるか。丁の証言は甲に対しても証拠となるか。

問題〔一二〕 被告人X、Yにつき、両名の共犯窃盗とXの単独窃盗が併合して審理されている。検察官は、YがXの単独窃盗の事実を知っているというので、Yにつき被告人質問をした。Yは検察官の面前における供述と相反する供述をしたので、検察官は、刑訴法三二一条一項二号により、Yの検察官に対する供述調書の取調を請求した。裁判所は、Yの前の供述に特信情況があると認めて、これを取り調べた。この手続についての問題点を指摘せよ。

問題〔二二〕　被告人Aに対する殺人被告事件の公判で、裁判所の命令によってその精神状態について鑑定して鑑定書を提出し、Aの犯行当時の精神状態は正常であるとの意見を表明していた医師Xは、刑訴法三二一条四項に従って証人として検察官および弁護人の尋問を受けた。

検察官の主尋問に対してその結論の根拠の説明をしたXは、その鑑定にあたってAの問診を行ない、その犯行の動機、犯行の準備、犯行そのものについての記憶がよく整理され、順序立てられていること、Aの家族B、Aの友人CについてAの日常の起居動作、言行などの聴取の結果、犯行の前後の精神状態は正常であると判断した旨述べ、また弁護人Yの反対尋問に際しては、一〇年の経験のある神経科の医師であるが、裁判所の命によって精神鑑定をしたのははじめてであると述べた。

裁判所は、医師Xの供述中被告人の供述を内容とする部分を犯罪事実の証拠とすることができるか。またB、Cの供述をAの量刑の証拠とすることができるか。裁判所は、Xの鑑定を証明力がないとして採用しないことは許されるか。

問題〔二三〕 殺人被告事件につき、弁護人は、最終弁論で、「被告人は犯行を自白しているし、被害弁償もしているから、寛大な処分が相当である」と意見を述べた。その当否を論評せよ。

問題〔二四〕 被告人は、公職選挙法違反で起訴されていたが、途中で大赦令が出たので、第一審は免訴を言い渡した。ところが、被告人は、選挙違反など身におぼえがないから、無罪を求めるといって控訴した。控訴裁判所はどうすべきか。

問題〔二五〕 Xはある被告事件で無罪の判決の言渡を受けた。その判決理由では、Xが訴因に表示された犯罪事実を行なったことは証拠上明らかであるが、行為当時、Xは心神喪失の情況にあったのでその刑事責任を問うことはできないと判断されている。Xは右の判決に対して、「自分は犯罪行為にはなんら関係がないのであるから、原判決には重要な事実誤認がある」として控訴申立をした。かような控訴申立は許されるか。

問題〔二六〕 被告人Xは殺人被告事件で終身刑の有罪判決を言い渡された。ところが、その判決の上訴期間中に、Xは死亡してしまった。そこで、Xの長男Yはその判決を違法として原審における弁護人Zに控訴を依頼した。かようなばあいの控訴は適法か。また、控訴裁判所は事件についてどのような処置をなすべきか。

問題〔二七〕　左のばあいには、控訴裁判所は事件をどのように処理すべきか。

(1)　原審は公訴棄却の決定をなすべきであったのに、誤って公訴棄却の判決を言い渡したということを理由とする検察官の上訴申立。

(2)　累犯加重を行なった原審の判決に対し、その前科の認定は前科調書の誤記よる誤判であるという被告人の上訴申立。

問題〔二八〕　被告人は、a、b、c三個の横領の罪で起訴された。裁判所は、起訴事実のうち、a、b二個の横領の罪を認めて被告人に懲役二年の刑を言い渡し、cの横領の罪については、判決の理由でcの事実はbの罪の一部にあたり証拠不十分であるとして、主文にとくに無罪の言渡をしなかった。検察官は、cの横領の事実について事実誤認があるとして控訴した。かようなばあい、控訴裁判所は、事件をどのように処理すべきか。

問題〔二九〕 被告人は、他人の自動車を無断で一時間ほど乗りまわした。第一審は、使用窃盗は罪にならないといって無罪。検察官が控訴して破棄され、差し戻された第二次の第一審で有罪に変更された。被告人は、控訴したがやぶれたので、最高裁に上告した。この上告の寸前に、最高裁は、別件で使用窃盗は罪にならないという判断を出している。最高裁は、本件をどう処理すべきか。この有罪と無罪が入れかわって、最高裁は、使用窃盗でも窃盗が成立するとし、検察官が無罪判決に対して上告したばあいはどうか。

問題〔三〇〕 A、Bを強盗殺人の共同正犯として死刑の判決を言い渡した一、二審判決に対し、被告人Bから最高裁に上告があり、最高裁ではA、Bの共同犯行であるとのAの自白は信用できない点があり、Aの単独犯行の疑いもあるとして原判決を破棄して事件を原審に差し戻した。

高裁ではさらに審理をしてBの当夜のアリバイを当時証言していた証人X、Y、Zが偽証罪の確定判決を受けていて、今回の公判ではいずれも前の証言を翻えしてBのアリバイを否定したのにかかわらず、最高裁の指摘するとおりAの自白は信用できず、また本件はAの単独犯行であり、偽証を認めたX、Y、Zの証言も事件後数年を経た後のことで信用できないとしてBに対して無罪の判決をした。

検察官の再上告は事実誤認の疑いを理由とするものであって、本件は最高裁の別の小法廷で審理されたが、今度は偽証であるとの確定判決のあった事実は極めて重大であって、これを加えて判断するとAの自白は信用できるし、また本件は共同犯行と認めるべきだとの結論が出て、事実誤認の疑いがあるとして事件は再び原審に差戻になった。

裁判所法四条の破棄判決の拘束力はこのばあいにどうなるか。

問題〔三一〕　Xは重過失による失火の罪に問われ、自白、その他の証拠によって禁錮一年の有罪判決を受けた。その刑の服役中に、Xは看守に対し、右の過失の事実は嘘であり、実はYと共同の行為による放火であって、なお、放火の際にその被害現場からある品物をも窃み取ったことを告白した。検察官は新たに右の放火と窃盗の事実について、XおよびYを起訴することができるか。

解答

問題〔一〕 Aが、ある被告事件の審理を担当している裁判官を訪れ、その事件について話をしたいと申し出た。裁判官はどうすべきか。

* * *

本問は、卑近な事例を契機として、刑訴法の理念の一端に触れようとするものである。

一 まず、Aなる者の立場を考えてみよう。つぎのばあいが想像される。(イ)Aは、犯罪事実についての知識・経験を有し、これを報告しようとしている。(ロ)Aは、被告人の性格、経歴、行状、家庭事情など刑の量定についての情状となるべき事実を知っており、これを具申しようとしている。(ハ)Aは、被告人との特別の関係から、事件の処理についての単なる意見または要望を述べようとしている。(ハ)の意見または要望が事件との関連性をもたず、審判に影響を及ぼすことがあってはならないものであることは、その性質上当然である。(イ)の報告が罪責および刑罰を決するうえにおいて、(ロ)の具申が刑罰を定めるうえにおいて、それぞれ審判上重要な意義をもつものであることは明らかである。以下述べるところは、主として、(イ)および(ロ)に関する。

二　法は、刑事訴訟の根幹として公判中心主義の手続を確立している。判決は、もっぱら公開の法廷に顕出された資料にもとづいてなされることを要する。しかも、資料顕出の要件および方法ならびに裁判官による心証獲得の方法は厳格に規制されている。資料の能力については、伝聞禁止の法則がとり入れられ、任意性の観点からの制約がある。資料の顕出すなわち証拠調は、原則として当事者の立証活動をまって行なわれるべきものとされ（職権証拠調の補充性）、しかもその内容が十分かつ正確に開陳されるように保障されている（書証の朗読、証拠物の展示、証人尋問の方法など参照）。また、裁判官は、公開の法廷でみずから直接に取り調べた資料にもとづいて判決をしなければならない（裁判官更迭のばあいの公判手続の更新、公判準備において獲得した資料の公判廷への顕出の要請など参照）。このような手続は、被告人の人権を保障しながら真実を発見するという刑訴法の理念を実現するため考えられたものであって、その基本的構想が刑罰権実現のためのデュウ・プロセスとして一般的に承認されていることはあらためていうまでもない。

右の手続の運用に関連して、講学上、厳格な証明、自由な証明ということがいわれる。犯罪事実およびこれに準ずべき事実（たとえば、累犯加重事由となる前科の事実）が証明の対象であるときは前述の厳格な手続に則ることを要するが、情状となるべき事実が証明の対象であるときは必ずしもこれによることを要しないと説かれるのが、それである。確定されるべき事実の種類に応じて、それぞれにふさわしい手続を考えることも理由のないわけではない(たとえば、犯罪事実存否確定の手続と刑の量定手続)。しかし、法は、前述の手続を定めるについて、このような区別をしていない。また、実務は、情状となるべき事実の確定についても厳格な手続によっているのが一般のようである。現行法の解釈運用に関するかぎり、この実務の実際が望ましいというべきであろう。

三　以上の見地からすると、裁判官は、(イ)の報告も、(ロ)の具申も、それが個人的に聞知されるかぎりにおいては、これを心証形成の資料とすることができないものといわなければならない。もともと、それらの内容は証言事項にあたるものであるから、それが必要とされるならば、(イ)または(ロ)の立場にあるAは証人として法廷に喚問されるべき筋合である。

したがって、設問のばあいには、裁判官はまずAの来訪の目的を確かめ、もし彼が(イ)または(ロ)の立場にある者であることが判明するならば、検察官または弁護人にその趣旨を申し出るべき旨を説明して、彼を当事者の訴訟活動に委託する措置を講ずるのが相当である。このばあい、裁判官は報告または具申の内容をみずから聞知することは回避すべきであろう。聞知したからといって、直ちにそれが心証形成に影響を及ぼしたということにはならない。裁判官は、法技術的知識と経験からして、意識的にこれを排除することが可能であると考えられるからである。しかし、その可能性も保障されたものではないし、また一般から疑いの目をもって見られることがあってはならないのである。Aが(ハ)の立場にあるばあいには、良識をもってこれに応接すべきであるというほかはない。

なお、自由な証明といっても、当事者のまったく関知しない場において獲得した資料による心証形成を許すものではないことに注意を要する。情状につき自由な証明が許容されるとしても、裁判官が個人的に収集した資料による心証形成を容認するものではないのである。

四　裁判官は、係属中の事件の関係者との接触をつとめて避けようとする傾向がある。みずから審判の公正であることを期するとともに、社会一般に不公正ではないかとの疑念を起こさせることをおそれるからである。それは職業的本能に近いといってもよい。法の定めるデュウ・プロセスを遵守しようとする、かような裁判官の態度こそ国民の信託にこたえるゆえんではなかろうか。

（柏井康夫）

問題〔二〕　つぎのばあい、裁判官は請求どおり勾留状を発することができるか。

(1)　自転車一台を窃取したとの事実により逮捕された被疑者について、これとは全然別個の横領の事実により検察官から勾留の請求があったとき。

(2)　右の被疑者につき、自転車窃盗と横領との両事実により勾留の請求があったとき。

被疑者の勾留については、逮捕前置主義がとられる。これはその応用問題である。この応用問題にぶつかることによって、なぜ逮捕前置が要求されるのかという根本の問題を、もう一度よく考えてもらいたい。

*　*　*

一　勾留には、公訴提起後に被告人に対してするものと、起訴前の捜査の段階で被疑者に対してするものとの二種がある。前者は刑訴法の総則八章の規定によって行なわれるから、身がら不拘束の者に対しても直ちに勾留状を発することができるが、後者のばあいは、刑訴法二〇四条から二〇七条までの規定をみれば明らかなように、被疑者をいったん逮捕したうえでなければこれに対して勾留状を発することができないことになっている(逮捕前置主義)。だから、起訴前においては、任意に出頭してきた被疑者をすぐ勾留するということはできないわけで、この点は学説上も争いがない。

ところで、設問のばあいは、いずれも、被疑者がすでに逮捕されているのだから、これに対して勾留状を発しても右の逮捕前置の原則に反しないようにみえる。現に、このようなばあいに勾留状の発布を認める説も少なくない(たとえば、団藤・条解刑事訴訟法(上)三八八頁、平場・刑事訴訟法講義三六三頁等)。しかし、勾留に先行する逮捕が同一被疑事実についてのものでなければならないと解すると、設問のばあい、横領の事実については なんら逮捕が先行していないから、横領について勾留状を発することは前記の原則に反することになる。そのいずれが正しいかについては、根本にさかのぼって、なぜ法が逮捕前置を要求しているのか、その理由を考察してみる必要があるであろう。

二 ところが、この理由については、従来、説かれるところがあまり明瞭ではない。まず、勾留すべきかどうかを決定する前には裁判官が被疑者の陳述を聴く必要があるから(刑訴二〇七条一項による六一条の準用)、そのためには逮捕によって身がらが拘束されている必要がある、というのが逮捕前置の理由であるならば、前後の事実の同一は必要がないことになろう。しかし、それならば、起訴後に勾留するばあいにおいても同様に身体の拘束が前提となっていなければならないのに、法はそれを要求していないから、この理由は成り立たない。捜査の段階で逮捕が先行することを必要としているのは、やはり裁判官が逮捕の際と勾留の際と二度にわたって身体拘束の要否につき判断することに司法的抑制としての意味を認めたものと考えざるをえないのである。

しかし、それにしても、それはなぜなのか。二度判断させることによって裁判官の判断を慎重ならしめるためではないかということも考えられるが、裁判官がかりに誤った判断をしても準抗告(刑訴四二九条一項二号)によって救済すれば足りるのであって、そのために二回審査を必要としたものとは考えにくい。むしろ、それは、身体拘束後において事情が変更するばあいを考慮して二回審査を必要としたものだと解するのが正しいように思われる。すなわち、拘束の必要ありとして被疑者の身がらをいったん拘束しても、捜査が進むにつれて、事情の変更その他によりその必要がなくなり、釈放しなければならないばあいも生ずるのであるが、かりに最初から勾留してしまうと、少なくとも一〇日間はその身がら拘束の要否の判断が検察官に一任されることとなり、その間裁判官の審査の機会が保障されないことになる(もちろん、その間にも裁判官に勾留取消(刑訴二〇七条一項による八七条の準用)の権限はあるが、裁判官は捜査にタッチしていないから、その十分な活用は事実上困難である)。それを考慮して、まず逮捕し、さらに一定時間後にいま一度裁判官をしてその時点における拘束の要否を判断させ、司法的抑制の機会を再度与えるというのがこの制度の理由なのであろう(実際問題としても、捜査の初期である逮捕中の段階が、身がら拘束の必要性の一番変動する時期であるように思われる)。

もっとも、このように必ず二回審査を必要とするのは、拘束の必要性が終始変化しない多くの被疑者にとっては、結果からみれば逮捕の時間だけ拘束が長びいて不利益のようであるが、審査の回数の多いことは、やはり制度としては被告人に利益だといわなければなるまい。

以上のように考えると、逮捕の際の被疑事実と勾留におけるそれとが同一であるべきは当然で、設問の(1)の答えは否定であることになる(実務でも一般にそのように解されている)。

三　右の考え方からすれば、設問(2)も、理論上、窃盗の事実についてしか勾留状を発することができないということになろう。しかし、このばあいは窃盗・横領の両事実について勾留状を発してよいとする説が強く、実務でもこれを認める傾向にある。

それは、このばあいには、窃盗の事実については逮捕が先行しているから当然勾留が可能であり、それに横領の事実を付加しても被疑者に何ら別段の不利益を与えないからだというのである。たしかに、このばあい、横領の事実との関係では、勾留状を発したのち事情の変更について裁判官がいま一度審査する機会がないから、逮捕先行の原則に反するようにみえるが、もともと被疑者は窃盗の事実では勾留されるのであって、その関係では身がら拘束の必要性の判断は以後一〇日間いちおう検察官に任されるのだから、身がらそのものが一つである以上、横領の点について二回審査を要求してみても意味はない。そういう理由で設問(2)は肯定してよいと思われる。

ただ、右のような理由から考えると、横領の事実を付加して勾留することができるのは、あくまで窃盗について勾留の理由と必要があることを前提とすることになるから、窃盗についてのそれが消滅したばあいには、検察官としては、横領についてたとえ身がら拘束の必要が存続しているとしても、直ちに被疑者を釈放すべき義務が発生すると解したい。そう解しないと、趣旨が一貫しないであろう。

（中野次雄）

問題〔三〕 にせ札作りの犯人を捜査中であった司法警察員Pは、印刷技術者Qが事件に関係しているという情報をつかみ、「通貨偽造被疑事件について、Qの居宅を捜索し、印刷機械、印刷用紙、その他本件に関係ありと思料される一切の物件を差し押えることを許可する」旨の裁判官の令状をもらった。しかし、出動準備に時間がかかり、捜索を開始した時は、日没後一時間たっていた。捜索の結果、印刷機械、印刷用紙、紙幣用特殊インク、および偽造計画を記載した日記帳が発見され、差押を受けた。Qは起訴されたが、公判廷で、弁護人は、右捜索差押の手続が違法だと非難し、これらの押収物を証拠にすることは許されないと主張した。この主張には理由があるか。

違法収集証拠の証拠能力という大問題である。考え方の筋にいろいろのものがあるので、討論形式にしてみた。この問題などは、法律論が、たとえば数学などと違って、セオリーだけではないのだということを一番よく示してくれる。討論によくくらいついていってほしい。

* * *

A　弁護士志望の学生　B　検察官志望の学生　C　裁判官志望の学生

A　ぼくは、正当な主張だと思うね。
B　反対だ。
C　いきなり意見が対立したが、まず証拠にできないという説の根拠はなんだい。
A　根拠はいくつもあるさ。第一に、住居の不可侵は憲法上の権利だ。これを侵害して得た証拠でも利用できるということでは、憲法の保障は空文になってしまう。
B　押収手続のどこが違憲かね。
A　令状には、「その他本件に関係ありと思料される一切の物件」と書いてある。そこで印刷インクから日記帳まで差し押えられたわけだが、そもそも令状は、「押収する物を明示」していなければならない。物を特定していないような差押許可状は無効だ。
B　特定しているよ。「一切の物件」というのは、「印刷機械、印刷用紙」という具体的な例示に付加したものだ。通貨偽造被疑事件という罪名の記載と相まって考えると、この程度でも物の明示に欠けるところはないといってよいだろう。
C　今の点は、例の日教組捜索差押事件で争われた問題だね（最決昭和三三・七・二九刑集一二巻一二号二七七六頁)。最高裁の意見はB説を支持するようだが、印刷インクはよいとしても、日記帳となると、「例示」された物からはかなり遠いな。

A　夜間捜索、夜間差押の点が違法なことはいうもさらなりだ。

B　それは、令状に夜間執行許可の記載がなかったという前提で議論しているのだから、君のいうとおりだ。しかし、取得手続の違法から証拠能力の否定へ飛躍する実定法上の根拠があるのかね。

A　たとえば拷問による自白は、違法に取得された証拠の典型的事例だが、憲法も訴訟法も、「証拠とすることができない」としている。

B　それはことがらの性質が違う。「拷問による自白」は、証明力が疑わしいから排斥されるのだ。差押のばあいは、令状の記載が落ちていようと、日没後に強行しようと、得られた物の証明力にはちっとも影響がない。赤インクは夜でもやっぱり赤インクだ。

C　「証拠としての収集の手続に違法な点があったからといって、その物の形状、性質自体になんらの変化を生ずるというわけのものでもない」という判例の考え方だね(東京高判昭和二八・一一・二五判決特報三九号二〇二頁)。真実の追及を第一義とする立場からは当然の結論だ。

A　その真実発見第一主義が問題だと思うのだがね。裁判所が、有罪の確保に関心をもちすぎて、捜査官の違法な行動を見逃すようなことがあっては絶対に困る。裁判所は、いわば「きたない仕事」には決して手をかさないという態度が必要だ。およそ国家が、一方で法を守れ、犯罪者は罰するぞといっておきながら、その処罰を違法なやり方で集めた証拠に頼るというのは、大へんな矛盾じゃないか。

B　いや、待ってくれ。証拠にするということには、なにも違法な捜査を見逃すとか、奨励するとか、そんな意味は全然ない。ただ、捜査官の違法に対する制裁は別の手続に譲ろう。この手続では、被告人の罪責の判定に専心しようというだけだ。君のような考え方でゆくと、裁判所は、「きたない仕事」に手をかさないという口実で、被告人を釈放してしまう。つまり、裁判所が犯罪人の仕事の方に加担するわけだ。

C　だいぶ激しい発言になったが、つきつめて考えれば、まさにこの証拠が許容されるか排除されるかで、有罪無罪がわかれるというばあいが問題なんだね。カードーゾ判事いわく、「おまわりがヘマをやった。さあ犯人を放してやれ」(People v. Defore, 1926)。これは皮肉な言い方だ。

A　それには異論がある。なるほど有罪のはずの被告人が釈放されることになれば、裁判所が犯罪者を保護したみたいだよ。しかしね、このばあい保護されたのは実は将来刑事手続の対象になりうべき人間、つまりすべての善良な市民の利益なのだ。捜査官がなぜ違法な捜索差押をあえてやるかといえば、それは証拠を発見し、その証拠で被告人の有罪判決を獲得したいためだろう。だから、そこを抑えて、違法なやり方で集めてきたのでは断じて受けつけないぞ、ということにすれば、捜査官は合法的な捜査に切りかえざるをえないわけだ。いわゆる証拠排除による捜査の抑制という考え方だね。これが証拠能力否定論の実際的な根拠だ。一番本質的な理由かもしれない。

B　しかし、Pの行動を抑制するために、証拠を排除する、Qを無罪にする、というのは、どうもやぶにらみの感じだ。もっと直接にPを制裁すればいいじゃないか。

C　直接制裁というと、Pに刑事上民事上の責任を問うことかい。

A　それはまったく観念的な議論だ。刑事責任を追及するといったって、いったい何罪が成立する？Pはともかく職務の執行として捜索差押をやったのだ。住居侵入罪や強盗罪の構成要件にはまずあたるまい。かりに犯罪が成り立つとしたって、起訴の可能性はありはしない。民事責任の方も、似たようなものだ。故意過失の立証、損害額の立証、手続遂行の負担、と数えてくると、実効性はまことに乏しいと思うね。

C　ことにQは犯罪人だという前提だからね。権利のための闘争は期待しにくいな。

A　そこが言論の自由や学問の自由が侵害されたばあいとひとつ違う点なんだね。この種の自由の侵害であれば世論もわき立ちやすいけれど、にせ札作りなんて社会のゴミみたいなものだから、関心の外に置かれる危険は大きい。

B　だから裁判所が思いきって証拠排除をやれと言いたいわけだね。しかし、直接制裁の方で実効があがるような工夫をしてもよいだろう。改正刑法準備草案の審議過程では、違法な押収捜索に対する処罰規定の新設が提案されたそうだ(改正刑法準備草案理由書一九七頁、ジュリスト二〇七号一〇頁)。損害賠償についても、無過失責任原理をもちこむとか、賠償の最少額を法定するとか、研究の余地があるように思える。とにかく、証拠排除説を採用すると、犯罪人をむざむざ野放しにしなければならん。これは実に大きな犠牲だ。

C　しかし、その犯罪人が免れるという点は、証拠排除説のせいというよりは、憲法ないし訴訟法じたいの責任のようだね。つまり、捜査機関が法規どおりに行動したのでは、十分な証拠が集められないということが問題なのだから。

A　そうだ。B君の意見を徹底すると、およそ捜査が真実発見のために行なわれるものである以上、その妨害になるような訴訟法規は、すべて有害だということになる。

B　そこまで極論するつもりはないよ。ただ、にせ札作りや賭博常習者や麻薬仲買人が、証拠が得られたにもかかわらず無罪になるのではわりきれないから、訴訟法違反の効果はなるべく個別的に処理したいと主張するだけだ。

C　逮捕が違法であっても引き続く勾留は適法でありうる。勾留が違法であっても勾留中の自白は証拠となしうる、という考え方だね。

A　さっきC君が言ったように、もし訴訟法が厳格すぎて捜査ができないという問題があるとすれば、それは訴訟法を直すのが当然だろう。しかし、それというのも、捜査は正しく訴訟法に従って行なわるべきものである、ということが前提になるわけだ。ぼくはやっぱり法規違反の効果がある程度あとに響くと主張したい。証拠排除論もつまりはその一環だ。

C　その「ある程度」がむずかしいな。そこが裁判所の決断だね。

A　ぼくが裁判所に期待するのは、勇気のある決断だ。実体的真実主義という美しいことばにつられて、犯人の処罰に専心する時代は過ぎた。将来の裁判所の任務は、ひとことでいえばデュー・プロセスを守ることにある。

B　それはいちおうわかる。しかし、犯罪の脅威は年々増大しているのだぜ。高度成長の時代だもの、組織犯罪とか犯罪シンヂケートとかいわれる怪物がはびこるのも当たり前かも知れない。そうなると、刑事手続が取りくむのは、巨大な「社会の敵」だ。ゴミなんてなまやさしいものじゃない。それでも君はデュー・プロセスを唱え続けるかい？

C　少し未来論めいてきたな。当のこの事件で、現在の解決はどうなんだ。

B　排除の必要なし。

C　反対。

〔参考文献〕　理論的な研究として――平野「証拠排除による捜査の抑制」刑法雑誌七巻一号、二・三合併号、斎藤(朔)「証拠収集手続の違法と証拠能力の関係」法曹時報六巻九号、光藤「違法収集の証拠」刑事訴訟法講座二巻、松尾「刑事訴訟における証拠禁止」警察研究三四巻五、七号。わが国の判例研究として――横川・櫛淵「収集手続の違法な証拠の証拠能力」総合判例研究叢書（刑訴一二）、光藤「押収捜索について」甲南法学一巻一号、平場「捜索差押令状の特定に関する二つの東京地裁決定」判例評論一四号、平野「日教組差押捜索事件」続判例百選、伊達「緊急逮捕前の捜索差押に関する最高裁判決について」ジュリスト二三一号。アメリカ法の研究として――江家「違法に収集した証拠の許容性」刑法雑誌二巻三号、高橋(正)「不正当な捜索により押収した物件の証拠能力について」法曹時報五巻三号、八巻三、七号、高柳（信）「行政上の立入検査と捜査令状」社会科学研究一一巻四号、田宮「違法収集証拠と米連邦最高裁」判例時報二八六—二八八号、光藤・前掲論文。その他——平場「違法収集の証拠」法学セミナー二九号、横川「押収・捜索」刑事訴訟法演習。松尾＝田宮・刑事訴訟法の基礎知識。

（松　尾　浩　也）

問題〔四〕 X食品株式会社の製造課長Yは、昭和三三年三月三日頃、酒類製造の免許を受けないで、会社の設備を使用し、清酒五〇リットルを製造した。検察官は、昭和三七年一月に至って右事実を知り、同年三月三日、行為者YおよびX会社を酒税法違反でT地方裁判所に起訴した。弁護人は、Xについては公訴時効が完成していると主張する。この主張は正しいか。

両罰規定のばあいに、行為者に関する公訴時効は、業務主体に関するそれと合一的に解すべきか、あるいはまた、それぞれ各別に解すべきか、が本問の論点である。

* * *

一　法人であるXが起訴されたのは、酒税法六二条の「法人の代表者又は法人若しくは人の代理人、使用人その他の従業者が、その法人又は人の業務又は財産に関して第五十四条……の違反行為をしたときは、行為者を罰する外、その法人又は人に対して各本条の罰金刑を科する」という規定にもとづいている。Yの行為は、酒税法五四条一項にあたり、その法定刑は、五年以下の懲役または五〇万円以下の罰金である。そして、時効期間は五年である(刑訴二五〇条参照)。しかし、Xについては、「各本条の罰金刑」、すなわち「五十万円以下の罰金」が科せられることになるので、これを基準にすれば、時効期間は三年となり、昭和三六年三月中に公訴の時効が完成しているようにみえる。

それでは、検察官はなぜXを起訴したのだろうか。それは、いわゆる両罰規定にもとづく業務主体の処罰については、行為者の刑を基準として統一的に時効期間を算定するのが、少なくとも最近まで支配的な考え方だったからである。その理由としては、公訴時効に関する刑訴法の規定が、共犯について正犯の刑を基準とし(二五二条)、また期間の起算点や起訴による停止について共犯者全員を統一的に扱っている(二五三条二項、二五四条二項)ことがあげられる。そして、業務主体と行為者との関係は、共犯に準ずべきもの、あるいは共犯以上に密接なものと説かれたのである。なおこの問題に関するおそらく唯一の判例として、東京高裁昭和二九年一月二一日判決(高刑集七巻一号一五頁)は、「両罰制度の本質上」法人の刑事責任は行為者本人のそれと同一期間存続する旨を判示していた(この見解からは、行為者が逃げ隠れたばあいの法人の公訴時効はどうなるだろうか?)。以上のような「行為者基準説」からすれば、本問の弁護人の主張は当を得ていないわけである。

二　ところが、右のような通説・判例の考え方に一石を投じたのが、最高裁判所の昭和三五年一二月二一日大法廷判決(刑集一四巻一四号二二六二頁)だった。これは、本問と同種の事案(取引高税法違反事件)について、業務主体である被告人(法人)を免訴した九対五の判決であるが、その多数意見は、業務主体の責任は行為者の責任とは別個のもので、その法定刑は罰金であり、時効期間もこれが基準となる。そして、こう解するのが、「罪刑法定主義の要請に適合する」と述べている。

そこで、この判例に示された「業務主体基準説」の当否を考えてみよう。反対説が、「共犯における法律関係の合一的解決の要請」を引合いに出していることは、すでに説明したとおりだが、この要請は、絶対的なものではない。刑訴法上、起算点こそ統一されているが、時効期間じたいは、必要的共犯のばあいはもとより、通常の共犯のばあいでも、共犯者間に錯誤や身分の問題が入ってくると、不統一になりうる。犯人の在外や逃亡による時効停止の効力も可分的である。ここから、消極的ながら、「業務主体基準説」を支持する一つの理由を発見することができよう。

三 だが、もっと積極的な理由はないだろうか。両罰規定の本質については、よく知られているように、論議が多い。すなわち業務主体の処罰の根拠として、代位責任説、過失擬制説、過失推定説、純過失犯説の対立がある。大審院判例の主流は、代位責任説だった。ところが、最高裁判所は、昭和三二年一一月二七日の大法廷判決(刑集一一巻一二号三一一三頁)で、両罰規定は業務主体(この事案では自然人)の過失を推定したものと判示して、注目をひいた(一二対三)。この立場からは、業務主体は従業員の違反行為に対する監督上の過失という独自の刑事責任を負うわけで、時効期間が従業者と別個に算定されるのも、理論上当然だということになろう。これは、すっきりした見解である。

四　もっとも、過失犯説に立脚するさきほどの議論は、代表者の違反行為にもとづいて法人を処罰するばあいにあてはまらない。法人は代表者の行為について直接に責任を負うのだから、時効期間も統一されるとみる方が、むしろ理論的であろう。しかし、昭和三五年の判例からは、行為者が従業者であるか法人の代表者であるかによって、区別を認める趣旨はうかがわれない。また、昭和三二年判例で多数意見の裁判官が、そのまま昭和三五年判例の多数意見裁判官だというわけでもない。してみると、最高裁判所は、右両判例の関連ということよりも、罪刑法定主義の尊重という考えに導かれて、被告人に有利な解決を与えたものと思われる。この意味では、時効期間に関する規定の改正と刑法六条の関係などが、再考されねばならないことになろう。

（松　尾　浩　也）

問題〔五〕　検察官は捜査の結果、XはYの教唆にもとづいて、A女（一八歳）を強姦したという心証に達した。そこで検察官はA女に告訴の意思の有無を確かめたところ、A女は検察官に対して告訴権を放棄する意思を表明した。A女の告訴権の放棄は有効か。

刑訴法には、告訴の取消の規定はあるが、告訴の放棄については明文がない。それでは、法はこれを禁ずる趣旨だろうか。解釈論として長く争われてきた問題だが、もう一度ここで考えてみよう。

*　*　*

一　告訴権の放棄が問題となるのはいうまでもなく親告罪についてのみである。現行法の上では告訴権の放棄については規定がない。しかし告訴権の放棄を、法解釈の上で認めておけば、親告罪の告訴の期間、すなわち、犯人を知った日から六ヵ月（刑訴二三五条一項）を徒過するまでもなく、必要におうじて、検察官は捜査を打ち切ることができる。もし告訴権の放棄が認められないものとすれば、捜査機関は、六ヵ月間は告訴の提起を予想して捜査を継続しなければならない。これは無駄な国家エネルギーの浪費であり、刑訴法の目的とする迅速の要求にも反する。ところが明治刑訴法には、明文をもって認められていたこの告訴権の放棄について旧法および現行法には、なんらの規定もみられないのである。これは形式的には明らかに、法は告訴権の放棄を認めない趣旨であるということにもなろう。とすれば、右の二つの見地のうち、いずれを正しいとすればよいのか。

判例に曰く。「犯罪ニ対スル被害者ノ告訴権ハ刑事訴訟法上附与セラレタル権利ニシテ告訴ヲ待テ其ノ罪ヲ論スヘキ所謂親告罪ニ付テハ告訴ノ存在ハ公訴ノ提起ヲシテ有効ナラシムルノ効果ヲ生スルモノナレハ其ノ法律関係ハ全然国家ト被害者トノ間ニ存スル公法上ノ関係ニシテ其ノ権利ノ消長ハ被害者ト犯人トノ間に何等ノ影響ヲ及ホスヘキモノニ非スト解スヘク其ノ権利ノ性質上法カ特ニ之ヲ認ムル場合ノ外ハ之カ自由処分ヲ許ササルモノト解スルヲ相当トス而シテ我現行刑事訴訟法ニ於テハ一旦為シタル告訴ノ取消ニ付テハ特ニ第二百六十七条ニ於テ之ヲ認ムルニ拘ラス之カ抛棄ニ付テハ何等ノ規定ヲ設ケサル点ヨリ観察スルトキハ亦同上ノ趣旨ニ於テ解スヘク我現行法ノ下ニ於テハ犯罪前ト犯罪後ナルトヲ問ハス告訴ノ取消ヲ除ク以外ニ於テハ告訴ニ付之カ自由処分ヲ許サス告訴権ノ抛棄ニ付テハ之ヲ認メサルノ精神ナリト解スルヲ正当トス」(大判昭和四・一二・一六刑集八巻一二号六六二頁)。これは旧法時代の判例であるが、現行法のもとにおいても、この判例はうけつがれて、東京高判昭和二五年三月二五日高裁刑特報一六号四六頁、名古屋高判昭和二八年一〇月七日刑集六巻一一号一五〇三頁はまったく同趣旨の判決理由を掲げている。要するに裁判所の見解によると、結論として告訴権の放棄は認められず、理由としては、国家と告訴権者との関係は公法上の関係であって、したがって法がとくに明文をもって認めるばあいのほかは自由処分は許さるべきでないというにある。もちろんこのような考え方は形式論ではあるが根拠のない考え方ではない。ドイツ刑法六一条が告訴期間を三ヵ月と定め、そのもとにおいて判例は、告訴期間の制限は、その期間の経過により告訴権を絶対に消滅せしめると同時に、その期間内は告訴権の放棄を認めない趣旨であるとするのと軌を一にする。また現行法が、上訴権の放棄の制度を認めなかったのが、その後の改正により明文をもって規定したのは、明文のないところにはこれを認めない趣旨であったように思われ、これが告訴権の放棄にも類推できると考えられるのである。しかしなんといってもこの議論は形式論である。国家エネルギーの経済という実質的観点からは採ることをえない。論者あるいは「一旦告訴をなしたる上これを取消」せばその実質的要求も満足できるではないかというが、解釈としてはいかにも窮屈な考え方である。それよりも告訴権の放棄を素直に認めるのがいっそう合理的ではなかろうか。そしてこれを認めたとしても別に弊害は考えられないのである。

つぎに告訴権の放棄を認めるとして、いかなる方式に従うべきかの問題がある。すなわち単なる被害者と犯人との私和・示談をもって告訴権の放棄と認められるかどうかの問題である。私は告訴権の放棄は、告訴権者にとっては、告訴の取消と同一の意義を有する行為であろうから、これに関する規定の類推を受くべきものであると考える。のみならず、告訴権の放棄は、先にものべたように、国家エネルギーの無駄な浪費をさけるという合目的性の見地から認めるべきであるとするのであるから、その意思表示は捜査機関に対して行なわるべきである。単なる私和・示談をもって十分なりとするのは、告訴権の公的性格を無視するものである。さらに告訴権はその消長が検察官の公訴権に重大な影響を及ぼすものであるから、その放棄についても、手続の形式的確実性の要求から告訴の取消のばあいと同様の方式に従うべきものと解する。もっともこのような見地に対して、「民法上私和を認めつつ、他方において、刑事上それを訴追することを許すということは、私和の当事者の行為としてもそれは背信的なことでなければならぬし、国家の制度としてはそれは矛盾でなければならぬ」という異論があるが、これは、民事責任と刑事責任とが分化している以上、やむをえない現象ではなかろうか。

（中武靖夫）

問題〔六〕 問題〔五〕において、検察官は、強姦罪としてはXに対し適法な公訴の提起は不可能と考えたので、強姦の手段たる暴行の事実についてのみ起訴した。この検察官の公訴の提起は適法であるか。

刑事事件は、検察官の公訴提起行為によって訴訟にもちこまれる。本問では、検察官が、なまの社会的事実を、どの程度構成してもち出すことができるかを問うてみた。

* * *

一 強姦罪はいうまでもなく、暴行・脅迫により姦淫するところに成立する犯罪である。被疑事件が強姦であることを知りながら、検察官があえてその一部を構成するにすぎない暴行の事実のみについて公訴を提起するのは、単一の犯罪は、訴訟法上の取扱いにおいても一個の不可分の単位として観念しなければならないという実定法上の原則に反するのではないか。さらに刑事訴訟にいう実体的真実の把握、事実認定ということは、外界に生起した事実そのものの認識ではなく、その事実に対する法的意味の理解であるとする立場からは、本事件においては単純な暴行は存在せず、強姦罪の構成部分たる暴行のみが存在するのであって、それを知りながらあえて検察官が暴行のみを起訴したのは有罪の蓋然性もない公訴の提起であり、公訴権の不存在のばあいではなかろうか。

二　この問題に対する判例の立場はまちまちであり、最高裁判所も、はじめは小法廷で、これも強姦の起訴とみなし、告訴がないことを理由に公訴棄却にした（最判昭和二七・七・一一刑集六巻七号八九六頁）。しかし後に大法廷はこれを覆えして暴行罪としての起訴を適法とした（最判昭和二八・一二・一六刑集七巻一二号二五五〇頁）。これらの事件はいずれも輪姦事件であり、当時、輪姦事件も単純強姦と同様に親告罪とされていたため、告訴のないばあいに、暴力行為等処罰に関する法律一条違反との関連において問題となったのである。そして論点は、輪姦事件のばあいには、刑法一七七条の強姦罪と、暴力行為等処罰に関する法律一条違反の罪との想像的競合が成立するのか、単なる法条競合の一ばあいであって単純一罪を構成するにすぎないのかという点にあったようである。先の小法廷判決は、「強姦罪は『暴行又ハ脅迫ヲ以テ……姦淫シタ』罪であって、即ち暴行又は脅迫と姦淫とが合一して構成される単一犯罪」とみたのであって、暴行または脅迫と強姦とが因果の関係にあるときはその行為全体をもって常に強姦罪一罪のみが成立するとなすものである。これに対して後の大法廷判決は、「暴力行為等処罰に関する法律第一条違反行為は、同条所定の構成要件を充足するによって成立する非親告罪であって、その内容が数人共同して、暴行をした場合でも必ずしも、刑法一七七条前段の強姦罪の構成要素ではなく、まして、これと不可分の一体を為すものではない」とした。すなわち、この立場を徹底すれば、団体もしくは多衆の威力を示して、暴行・脅迫を行なうような行為は、それが姦淫と因果の関係に立つばあいでも、単なる強姦罪の構成要素ではなく、それ以上のものであって、単純な個人の身体の安全を害するのみにとどまらず、ある種の社会不安を醸成するものである。このような社会不安から公共の安全を確保するために暴力行為等処罰に関する法律が規定されたのであり、本件のごときは、まさに一つの行為によって、私的法益と公共に関する法益とが、同時に侵害されたのであって、強姦罪と暴力行為等処罰に関する法律違反の罪とがいわゆる想像的競合の関係に立つばあいである。したがって処分的一罪の一部が親告罪で告訴のないばあいには、他の部分について起訴し、有罪判決を求めることは一般に適法とされているのであるから、本件において暴行の事実のみについて公訴を提起することは適法であるということになるのである。

たしかに、輪姦事件については大法廷判決のような見方も是認されるかもしれない。

したがって刑法は三三年の改正によって輪姦事件を非親告罪とした。しかし単純な強姦の事実が、暴行罪と強姦罪の想像的競合の関係に立つとはとうてい考えられない。暴行・脅迫と姦淫とが常に全体として一罪のみを構成するのである。そして実体法上の一罪は、訴訟法上も一の不可分の単位として取り扱われなければならないのであるから、本問の検察官の公訴の提起は不適法といわざるをえない。

三　学説の中には、暴行と姦淫は法的に不可分の一体であり、単純一罪であることを承認しつつも、現行刑訴法の当事者主義的性格を強調するのあまり、検察官の処分権を認めて、暴行のみの起訴を、本来的には是認しようとする主張がある。この見解によると、訴訟の客体は検察官の法的請求であり、訴訟の対象をどのように構成するかはまったく検察官の裁量にゆだねられている。したがって処分的一罪の一部を起訴することもできるし、また公訴事実の同一性があるにもかかわらず、訴因を変更しないで無罪判決をうけることもできる。そうであればまた事実は強盗であるにもかかわらず、強盗の証明が困難なばあいには、窃盗として起訴することもできよう（平野・刑事訴訟法一四二頁、井上「告訴」刑法演習四九頁）、というのである。ただ本問のようなばあいには、暴行の審理は有機的に姦淫の事実につらなるから、被害者の意思を尊重しなければならないという点で疑問が残るとされるのみである。しかしこの考え方には同意できない。現行法のもとにおいても、当面の訴訟追行の目標を訴因に限定するということは認められるとしても、実体形成の限界は公訴事実の同一性の範囲に限定され、ここに事件の単一性が訴訟の単位として目的的に観念されなければならないのである。したがって一個の事件の一部のみを訴訟の対象とすることはできず、もしかりに一部についてのみ公訴提起があったばあいには、訴因を変更して全体としての訴訟係属を認めるか、検察官が訴因の変更に応じないばあいには、有罪の蓋然性もないばあいとして、公訴棄却を言い渡すべきである（この結論は、とくに、高田教授に教えられたものである（高田・刑事訴訟法一〇六頁以下））。本問のばあいは、訴因を強姦に変更して告訴のないことを理由に公訴を棄却すべきである。

（中武靖夫）

問題〔七〕　問題〔六〕において示したように、検察官は強姦罪の起訴を不可能と考えたので、強姦の教唆者たるYを不起訴処分にした。Yが不起訴処分になったのを知ったA女の父Bは、憤慨して直ちに検察官に対してYを告訴した。Bの提起した告訴は有効であるか。

本問は、法定代理人の告訴権の本質を考えてみようとするものである。そして、法定代理人の告訴権を考えることは、とりもなおさず、告訴権一般の存在理由を明らかにすることになる。

*　*　*

一　「Bの提起した告訴は有効であるか」という問の意味は、いうまでもなく親告罪の訴訟条件が完備したことになるのかどうかを問うているのである。

刑訴法二三一条一項は「被害者の法定代理人は、独立して告訴をすることができる」と規定している。ここにいう「独立して」というのは被害者本人の明示または黙示の意思に拘束されないことをいう。そして被害者A女は未成年者であり、Bは親権者であるから、Bは当然民法の規定によって法定代理人となる。したがって本条の規定から、Bの告訴は有効だという結論が、直ちに引き出されそうにも思える。しかし問題はそのように簡単ではないのであって、本問のばあい、被害者本人たるA女が告訴権を放棄しているのであって、本人の告訴権の喪失が法定代理人の告訴権にどのような影響を与えるものであるかという点をよく吟味しなければならない。そのためには法定代理人の告訴権の本質を検討することが必要となる。

二　法定代理人の告訴権の本質については、学説上争いがある。

通説・判例は、告訴権は法定代理人の固有権であって、その行使が、本人の意思に拘束されないのはいうまでもなく、本人の告訴権の消長も、法定代理人の告訴権にはなんらの影響も及ぼさないと解している。たとえば判例では、「本件が親告罪であって本件各告訴が犯罪のあったときから六ケ月を過ぎていることは所論のとおりであるが、本件の告訴は被害者の各法定代理人から為されており、各法定代理人が強姦の事実を知ったのは、いずれも告訴の前日であることが記録上明らかである。そして法定代理人の告訴権は独立して行使できるのであるから、その固有権であると解すべきである。従って本件各告訴は告訴期間を徒過したものではなく、原判決には所論のような違法はない」(最決昭和二八・五・二九刑集七巻五号一一九五頁)。またわたくし自身も「法定代理人の告訴権は、独立の固有権であって、本人の告訴権を代理行使するものではない。故に被害者の意思に反してもこれをすることができるとされるのである。また被害者本人が告訴権を喪失しても、法定代理人は有効に告訴することができるのであり、法定代理人によってなされた告訴を被害者本人は取消すことを得ない。このことは法定代理人が本人を保護する地位にあることからも当然である」（滝川等コンメンタール三一一頁）といったことがある。この見解はいうまでもなく、法定代理人の告訴権は、無能力者たる被害者本人を保護する目的で認められたものであるということを前提としている。

しかしこの見解に対しては有力な反対論がある。反対論は法定代理人の告訴権を、被害者本人の意思から、「独立して行使し得る代理権」と解するのである。本人が告訴権を喪ってしまった後にも、法定代理人が自由に告訴ができるというのであれば、親告罪における法律関係が長く不安定な状態におかれ、訴訟手続も複雑になる。法定代理人の告訴権を独立代理権と解するならば、本人の喪った権利の代理ということは考えられないから、被害者本人が告訴権を放棄するなり、告訴の取消をしたようなばあいには、直ちに法律関係が安定する、というのがその理由である。

三　わたくしは後説の代理権説に賛成する。すなわち以前の見解を改めるのである。

その理由は親告罪における法律関係の安定ということもさることながら、親告罪における被害者保護という見地を重視したいのである。いうまでもなく強姦罪が親告罪とされている理由は、その被害法益の性質によって当該の犯罪を訴追することがかえって被害者の名誉を害する結果となるから、このような犯罪を訴追するか否かは被害者の意思を尊重する必要があるということであった。強姦罪の訴追については被害者の意思いかんが最も重要な契機となる。その意味から法定代理人による被害者保護ということも理由のないことではないが、実際に審理の結果について、直接に利害関係を有するのは被害者本人であって法定代理人ではなく、しかもこの利害関係は、合理的な客観的利益較量のみでは決定しえない非合理的な個人としての被害者の感情と意思にもとづくものであるから、告訴権を法定代理人の固有権として、被害者本人すら、法定代理人のなした告訴を取り消すこともできないと解するのは、強姦罪を親告罪とした法の趣旨を無視する結果になりはしないか。法定代理人による被害者の保護も、その告訴権を独立代理権と解する限度にとどむべきであり、またそれで十分であって、その限度を超えて固有権と解することにより、親告罪の精神を無視する結果になっては、それは行き過ぎといわねばならない。したがって結論としては、Bの提起した告訴は無効であり、検察官は有効にXに対してもYに対しても、強姦罪の公訴は提起することができないということになる。

（中武靖夫）

問題〔八〕 問題〔七〕に関連して、検察官はBの告訴にもとづきXの訴因を強姦の事実に変更するとともに、Yの起訴を準備中、BとYとの間に示談が成立したので、BはYに対する告訴を取り消した。裁判所はXに対して実体判決をすることができるか。

この問題については、検察官は法定代理人の告訴権を固有権であると前提していることに注意しなければならない。問題〔七〕において示したようなわれわれの見解からは、本問はもはや問題にならないのである。

本問においては、問題点が二つある。第一は、告訴の追完が認められるかどうかの問題であり、第二はYについてなした告訴取消の効力がXに対していかなる影響を与えるかの問題、すなわち告訴の主観的不可分の問題である。

*　*　*

一　本問においては、検察官は、はじめXを暴行の事実について起訴し、後訴因を強姦に変更したのである。この訴因の変更が許されるためには、当然告訴の追完が認められなくてはならない。親告罪について告訴のないまま、公訴が提起され、後に告訴がなされたばあいに、これにより公訴が適法なものになるかどうかの問題は、古くから肯定、否定の両論が対立し、またその中間的な意見も主張されるなど困難な形相を呈しているのであるが、一般に判例は告訴の追完を否定し、学説も古くはこの否定説に傾いていた。その理由は、告訴の追完を許す規定のないこと、告訴は訴訟成立の条件であってこれを後に追完することは考えられない、という点にあった。これに対して最近の学説は訴訟の動的・発展的性格に着目して追完を肯定しているのである。すなわち起訴の当時においては検察官は非親告罪(強姦致傷罪)と考えたが、実体形成の進展に伴って親告罪(強姦罪)であることが判明したようなばあいに、告訴の追完を認めないのであれば、いったん公訴棄却を言い渡した上で、あらためて再起訴を待つということになるが、これでは訴訟手続の発展的性格に適合しないのみならず、訴訟経済にも反する、というのである。わたくしは後説を原則的には正しいものと考えるのであるが、訴訟手続の動的性格から告訴の追完を認めるとしても、はじめから親告罪であることが判っているにもかかわらず、告訴なくして公訴を提起しておいて審理の途中においてそれを追完するというようなばあいにもやはり認めなければならないかどうか、問題であろうと思う。

思うに告訴の追完を認めるかどうかの問題は、検察官の公訴の提起という訴訟行為の許容性に対する法的評価の一ばあいである。告訴なき公訴はそれじたい許容性なき訴訟行為であり、またかかる公訴を前提とする訴訟は、全体として実体判決を得るに値する追行的利益をもたない訴訟である。しかし審理過程において告訴の追完があったばあいには、この許容性のない公訴をいかに評価するかについては、公訴提起という訴訟行為が、訴訟追行行為に属するものである以上、とくに当事者の利益追行との関連において評価されなければならない。もちろんこのばあい、追完当時の訴訟状態における当事者の具体的な利益関係が規準となるのはいうまでもないが、とくに一般的にも、刑事訴訟の特質からしてつぎのことがいえるのではないか。

告訴の追完を認めなければ、裁判所は公訴棄却を言い渡さなければならない。しかし、追完肯定説はこの公訴棄却を無駄な裁判であるとみるのである。たしかに、公訴を棄却して再起訴を待つという点だけに着目するならば無駄な手続であろう。しかし公訴棄却は単に実体裁判ができないという消極的判断にとどまらず、検察官の公訴提起に対する評価という積極的判断をも含むものと解すると事情が異なってくる。平場・高田・井上等の諸教授はこのような立場から、起訴当時から親告罪であることが判っているばあいの告訴の追完を否定された。とくに井上教授は、民訴における訴却下と刑訴における公訴棄却との差異をつぎのように明らかにし、公訴棄却の積極性を指摘された。「民訴において私人が訴を提起する制度と、刑訴において国家機関たる検察官が起訴を担当するそれとは、同じく訴を不適法としても裁判所の評価において重大な差異を認めうるのではなかろうか。公訴棄却という裁判にはその公訴を不適法なものとする判断とともにそれを違法だとする非難を含むものと考うべきである。これは民事裁判と刑事裁判との本質的な違いに由来するものといえよう。裁判とは本来市民的紛争を解決するところに意味がある。この意味では民事裁判こそ裁判の名に価するものであり、刑事裁判は、裁判とは称されながら本質的には行政処分に属すべきものであった。換言すれば、国家の刑罰権は目的的に実現され得べきものであって必然的には裁判に親しまない。これを裁判という形で規制せざるを得なかったのは、伝統的なものもあろうが、大きい理由は、刑罰権の実現という国家の目的的活動を司法的裁判によって制約しようとする、一に近代の人権思想と表裏をなすものと考える。ここにはじめて、刑罰権の実現もまた裁判という制度に採り入れられ、そして別段の抵抗もなく等しく裁判として観念されうるに至るのであった。しかしその背後には以上の如き本質的な特性の存することを看過してはならない。かように刑事裁判は、たんに紛争を解決するという以上に、国家の権力活動に対する司法的判断の制約と考えれば、公訴棄却には民訴の訴却下が持ち得ない違法とする非難も含みうるのではなかろうか」(井上「訴因と訴訟条件」判例評論一号二頁)。このように公訴棄却には消極的判断のみならず、積極的判断をも含むものと解するならば、告訴の追完を認めうるのは、検察官の公訴提起に非難すべき点が認められないばあいに限るということになる。

ところで本問のばあい、訴訟条件の存否は訴因を標準として判断すべきものとすれば、形式的には、検察官の公訴提起には非難すべき点がないようにみえるが、問題〔六〕において示したように、元来、この暴行のみの起訴は、有罪の蓋然性すらなき公訴の提起であって実体的訴訟条件を欠き、当然公訴棄却を言い渡さるべきばあいである。したがってわれわれの見地からは告訴の追完を認むべきではないと思う。

二　第二の問題については、われわれの立場からはもはや問題にはならないが、告訴の追完が認められるものと仮定して論をすすめることにする。刑訴法二三八条一項は、「親告罪について共犯の一人又は数人に対してした告訴又はその取消は他の共犯に対しても、その効力を生ずる」と規定している。これを告訴の主観的不可分の原則と呼んでいる。けだし告訴は特定の犯人を指定してその処罰を求める意思表示ではなく、特定の犯罪事実を指定して、その犯人の処罰を求める意思表示であって、告訴の客体は、犯人ではなく犯罪事実であるからである。したがって一個の犯罪事実の一部分について告訴またはその取消があったばあいにも、告訴の効力はその全部について生ずる(告訴の客観的不可分の原則)ということにもなるのである。そして実は主観的不可分の原則は、この客観的不可分の原則から引き出された結論なのである。

主観的不可分の原則からすれば、Yに対する告訴の取消は当然Xにも効力を及ぼすはずである。ところが刑訴法二三七条一項は、「告訴は、公訴の提起があるまでこれを取り消すことができる」と規定して公訴提起後の告訴の取消を許していない。したがってこの点からすればXに対しては告訴の取消は許されないこととなる。告訴不可分の原則を重視すれば、このばあいYに対する取消もできないとするか、あるいはX、Yともに取り消しうると考えなければならない。前のばあいはYについて二三七条一項の趣旨に反し、後のばあいはXについて同条項の趣旨に反することになる。あるいは、告訴不可分の原則を無視して、Yに対する取消の効力はXには及ばないと解することもできそうである、この矛盾はどのように解決すべきか。旧法時代の判例は、「姦通罪の告訴は、相姦者の一人につき二審の判決があったときは、もはや取消すことはできない」（大判昭和三・一〇・五刑集七巻一〇号六四九頁）として主観的不可分の原則を重視した。これに対して有力な学説は、「告訴の主観的不可分の原則は、共犯者を常に合一的に取扱うことを要求しているのではなく（検察官は情状により、その一人を起訴し、他の者につき起訴を猶予することも出来る）、むしろ被害者の恣意的な選択によって処罰上の権衡を失しない為の要請である。問題の場合は私人の恣意によってではなく、検察官の公訴提起の前後によって不公平が生じたのであり、しかも、かような不公平は公訴の取り消しによって救済することが不可能なわけではない。第二に二三七条の適用をあまり制限的に解することは、被害者の立場を尊重する親告罪の本質に反する。かようにして共犯者の中のある者に対して公訴の提起があった後でも、告訴の取り消しは許され、唯すでに公訴を提起された者に対する関係において取り消しが無効となるにすぎないものと解する」（団藤・条解刑事訴訟法四六〇、四六一頁）。この結論は刑事訴訟における訴訟関係は本来各被告人ごとに成立するという点から考えると妥当であるように思われるが、告訴の客体は、犯人ではなく、犯罪事実であるという点を重視するときには、一概にはいえない。思うに告訴の主観的不可分の原則は先にのべたように客観的不可分の原則が基礎にあるのであって、主観的不可分の原則を否定することはとりも直さず客観的不可分の原則を否定することになる。そしてそれはさらに一個の犯罪事実は訴訟の上においても一の単位を構成するという点を否定することにもなるのである。告訴の主観的不可分の原則は団藤教授のいわれるような、処罰上の不公平を回避する趣旨ではなく、告訴の客体の不可分性から導き出された結論である。また二三七条一項にいう「公訴があるまで……」とは必ずしも犯人についていっているものと解さなければならないわけではなく、犯罪事実についていうものと解して差支えないのであり、かく解することによって告訴権者に犯人選択の自由を与えなくてすむのではないか。かようにして私は判例の立場を正当と考えたい。したがってXに対する実体判決は、もちろん可能となる。そしてYについても同様であって、BのYに対する告訴の取消は、無効であるということになるのである。

（中武靖夫）

問題〔九〕 素行不良で一年前から家出中の息子Bは、某夜父A方の家人の就寝中にその家に忍び込み、父A所有の時計、継母C所有の衣類を窃取逃走した。Bはその後逮捕され、家庭裁判所から逆送されて、地方裁判所に住居侵入、窃盗で公訴を提起され、公判廷で自白していたし、A、Cの提出した被害届を証拠とすることに同意したが、そこには処罰を求める意思の表示はなかった。証拠調終了後、検察官は住居侵入、窃盗により懲役一年に処するのが相当であるとの意見を述べ、弁護人Xは公訴棄却の裁判を求め、弁護人Yは住居侵入として罰金の裁判を求め、弁護人Zは刑の免除の判決を求めた。

それぞれの主張の理由を検討し、いかなる判決が相当かを考えよ。

窃盗の事実のうち、父Aに対する関係では刑の免除の事由があり、継母Cとの関係では親告罪となる。本問では、それと住居侵入をからみあわせた。これら三つの犯罪の、裁判における相互関係が問題なのである。ひとつ裁判官になったつもりで、よく考えてみてほしい。

*　*　*

一　本問のばあいはBは一年前から家出中であって、窃盗の目的で夜間忍び込んだのであるから、刑法一三〇条の住居侵入の構成要件に該当すると考えられる。住居侵入罪を構成するかどうかは目的と手段の双方から考えなければならないが、このばあいには住居侵入罪の定型をみたすと考えられるからである。問題にするとすれば住居侵入罪のような住居の平穏に対する罪のばあいには侵入者と居住者の人的関係から住居の平穏が害されたとまでいえないばあいもあろうし、また法益の侵害はあったところで本来同一家庭に属する者の間では家庭の自治に委せて法は干渉しないのが建前である(法は家庭に入らない)から、可罰的な違法性を欠くのではないかという点であろう。Bが父親Aの所有・所持する物を盗んだのは刑法二四四条の親族相盗として刑の免除にあたるし、継母Cの所有・所持する物を盗んだのは継母は民法の規定によると一親等の姻族という関係になるから、Bが家出中で同居していない以上同条の規定により親告罪になる。この問題では継母Cの被害届は出ているが、Bに対する処罰を求める意思が表明されていないというのであるから告訴があったと解することはできない。刑の免除は構成要件該当・違法・有責すなわち有罪であるばあいに政策的に刑の免除をすると解されているので、訴訟上では証拠上有罪の認定をして後に刑の免除をするのが順序である。しかしこのばあいには可罰的違法性がないという説によれば当然として、そうでなくても刑の言渡はできないのであるから、刑訴法三三九条一項二号の規定を準用するということは考えられよう。その他改正刑法準備草案三五一条の規定するように、直系血族等刑の免除にあたる者も親告罪であると解して、有罪の判断をすることなしにその点の公訴を棄却すべきであるという意見もあろう。

二　検察官の意見については、窃盗までも処罰すべきものとしたのは誤りであるが、住居侵入で懲役一年に処することは可能性がある。しかし、論告のときにBが少年であるなら実刑に処すべきものと考える以上は不定期刑の判決を求めなければならなかった。

弁護人Xの公訴棄却の意見は、住居侵入についても本問のような事実関係では可罰的な違法性を欠くと考え、父親Aに対する窃盗とともに刑訴法三三九条一項二号で公訴棄却の決定を求め、継母Cの衣類に対する窃盗については親告罪の告訴がないものとして三三八条四号で公訴棄却の判決を求めるという意味と考えられる。このようなばあいにはもとより決定と判決に区分する必要はなく、一個の判決で公訴を棄却すれば足りることになる。

弁護人Yは、住居侵入については構成要件に該当し違法かつ有責と考えて、Bの人的地位からみて違法性・責任性とも弱いものとして罰金の判決を求め、父Aに対する窃盗は刑の免除（親告罪であるとの意見によれば告訴欠如で公訴棄却）、継母Cに対する窃盗については公訴棄却の判決を求める趣旨であろう。

弁護人Zは、住居侵入の点については構成要件該当・違法・有責であるとしても、父Aに対する窃盗が同様有罪であるから牽連犯として刑法五四条一項後段を適用すると父Aに対する窃盗で処罰すべきことになり、これは刑の免除になる。また継母Cに対する窃盗は親告罪の告訴を欠いているから本来は公訴棄却の判決をすべきであるが、Aの物に対する窃盗と一個の行為であるから主文で判断の必要はないとの意味であろう（この見地で父Aに対する窃盗を親告罪とみると、住居侵入だけについて判決しなければならないから刑の免除にはならない）。

三　以上四つの意見のうちどれを採るべきかは、いろいろ考え方もあろうが、公訴事実を審判の対象とし、実体的真実の発見で一貫していた旧刑訴のもとにおいてはZ弁護人の意見が最も理論的である。本問のようなばあいの住居侵入は可罰的違法性を欠くとの立場をとり、また刑訴法三三九条一項二号のなんら罪となるべき事実を包含していないとの説を住居侵入およびAに対する窃盗罪について採れば別であるが（そのばあいにはX

弁護人の意見になる)、理論的に多少無理があるように思われる。理論的には検察官およびY弁護人の意見も刑の免除の規定の適用を牽連犯の規定の適用に先立って行なっている嫌いがあって、それぞれ欠点をもつが、さらに考えると現行刑訴法は訴因制度を設け、たとえ公訴事実の単一性の範囲内であっても当事者の攻撃・防禦を害して訴因と異なる事実の認定はできない(訴因が審判の対象であるとの説または有罪判決の条件であるとの説もある)から、検察官がAに対する窃盗を訴因とせずまたはこれを撤回すると検察官またはY弁護人の意見が正しくなり、そうでないならX弁護人の意見によるというのも余り技巧的に過ぎると考えられる。そうすると窃盗の訴因の有無にかかわらず、住居侵入だけで処罰するのも一つの見方といえよう。

(青柳文雄)

問題〔一〇〕「甲銀行の業務担当重役Aは、Bに対し、Bの利益を計る目的を以て、昭和三十五年一月一日から同年十二月三十一日迄の間に約十五回にわたって金千二百三十四万円の不正貸付を行い、合計五百六十七万円の損害を銀行にあたえた」という公訴事実の記載があり、かつ罪名として刑法二四七条（背任罪）の記載された起訴状があったとする。この起訴状は有効か。

本問は起訴状の効力を問うている。起訴状の有効性を決定する条件はいろいろあるが、本問では公訴事実の記載と罪名の記載しかあたえられていないのだから、その関係で問題になるのは、訴因の特定と訴因と罰条の一致だけであり、かつ記載された事実はいちおう背任罪の構成要件をみたすとみうるから、残るのは訴因の特定の点だけであり、したがって本問では訴因の特定を問うているのだということがわかる。

* * *

一　刑事訴訟法は訴因の特定について、「公訴事実は、訴因を明示してこれを記載しなければならない。訴因を明示するには、できる限り日時、場所及び方法を以て罪となるべき事実を特定してこれをしなければならない」（二五六条三項）と規定している。ところで訴因とは構成要件に該当する具体的事実をいうことには意見は一致している。だから起訴された事実が数個の構成要件該当の事実を含むばあいには、各構成要件ごとに区別して明示することを要求しているといえるのである。そこでいったい一回構成要件に該当したにとどまるか、それとも数回構成要件に該当したのかは、訴因に一括記載してよいか、各別に記載しなければいけないかがキーポイントになる。

二　本問においてもまず約一五回の不正貸付が包括して一個の背任罪の構成要件をみたすのか、それともその一回一回が背任罪の構成要件をみたすのかによって答は本質的に違ってくるのである。判例では、このようなばあいを包括一罪の代表的なものとするのであろうけれども、実は一罪か数罪かは一訴因か数訴因かと必ずしも一致しないのである。この点は誤解のないように注意する必要がある。けだし、数個の構成要件をみたしながら一罪となるばあいを法は認めているからである。

たとえば想像的競合や牽連犯のばあいがそれである。このばあいは一罪ではあるが、構成要件は二回以上これをみたしており、したがって訴因としては複数である。学者はこのようなものを処分的一罪または科刑上の一罪と呼ぶ。ところで本問のようなばあいにつき、かつては連続犯という処分的一罪が規定されていた。

しかしその規定がない今日においては、もはや処分的一罪という角度から一罪にすることはできない。けだし処分的一罪は法の根拠を必要とするからである。だとすれば本位的一罪すなわち構成要件を一回充足するばあいだけを一罪とするほかはない。このようにして包括一罪の範囲は相当限定されなければならないとともにその一罪の範囲は各構成要件の解釈にまつということになる。

三　ところで背任罪の構成要件的行為は、任務に背いて財産上の損害をあたえる犯罪である。すなわち財産上の損害を必要とする結果犯である。それだけに一罪性を決定するうえで財産上の損害の一体性が個々の背任行為より重要なメルクマールになるようにも思われる。しかしそれだけでは背任行為の一罪性を決定するには十分でない。犯人の意思の要素すなわち継続的意思によってしたか、それともそのつどそのつどの意思によってしたかによって、あるいは一罪あるいは数罪になる。だから、この問題において意思の要素が明らかにされないかぎり一罪か数罪かは明らかでなく、したがって起訴状は不備を免れない。

（平場安治）

問題〔一一〕 問題〔一〇〕の起訴状の瑕疵は補正できるか。また裁判所はその点の釈明を求める義務があるか。検察官の法廷における口頭の釈明で補正があったものとみることができるか。

訴因が特定されなければならないということはわかった。どの程度特定されなければならないかもわかった。それでは特定されないばあいに、訴訟上どういう効果が結びつくのだろうか。つぎにこの効果の問題を考えてみよう。

＊　＊　＊

一　前問で述べたように、この起訴状では犯意の継続の有無が明らかにされていないので、放置すれば無効である(もっとも罪数論における結果説を採れば結論は異なる)。では、この瑕疵は補正ができるか。起訴状における公訴事実の記載の瑕疵は、すべてが補正可能だともいえないし、すべてが補正不能だともいえない。その限界は公訴事実の特定(同一性識別の意味で)の有無であると考える。けだし訴因は公訴事実の記載方法であり、起訴された公訴事実の範囲が明らかであれば、その範囲において裁判所に係属し、その訴因への細分は審理を進めるうえにおいて必要なだけである。これに対して公訴事実さえ特定されていないのであれば、なにについて起訴があったのか明らかでなく、したがって補正といい条、実質的にはその時に始めて起訴があったとみなければならないからである。

ところで、本件における犯意継続の有無は一罪と数罪を区別するメルクマールであるけれども、公訴事実と起訴されなかった他の事実とを識別する標識ではない。けだし、その点を欠いたとしても他の記載において公訴事実全体の範囲は確定できるからである。だから補正しうる範囲での瑕疵だと考えてよいであろう。

補正は冒頭手続の段階までに行なわれるかぎり認めてさしつかえないと考える。けだし冒頭手続は両当事者の攻撃・防禦の主張の行なわれるところであり、少なくもこの段階までに訴因は確定されなければならないからである。もっとも起訴状の送達の制度が示すように、訴因には相手方に対する予告の意味があるが、それは被告人に対し適当な準備期間をあたえることにより解決のつく問題である。

二 検察官が自発的に補正しないばあいに、裁判所は釈明を求めることはできる(刑訴規則二〇八条)。問題は釈明を求める義務があるかである。裁判所の釈明義務がどこまであるか(したがってその不行使が手続違反として控訴理由になるか)は一般的に決するに困難な問題であり、またかつて訴因変更命令の義務性について争われたことがあった。しかし、訴因変更命令の義務性を肯定する立場からしても、このばあいの釈明の義務を肯定することにはならない。けだし、訴因変更のばあいは、それじたい有効な訴因を他の訴因に変更するばあいであり、裁判所が訴訟のよりよき目的を達するための後見的地位の発動の余地はあるが、起訴状の補正は、無効な起訴状を有効にする行為であり、そのような行為まで裁判所としては、する義務はないと解せられるからである。したがって、このばあいには、裁判所は釈明権を行使する権利はあるが、義務はない。

三　裁判所が釈明を求めたばあいなどで、検察官が法廷において、たとえば「本件では、被告人は意思継続の上で行った趣旨だ」といったばあい、それによって、補正があったものとみることができるか。これは補正行為の方式の問題である。このばあいの補正が起訴の補正であるかぎりかつ起訴が起訴状によって行なわれるという書面行為であるかぎり、補正も書面の方式を踏まなければならない。

もっとも起訴状の記載が不明確であり、Aともとれるが B ともとれるというばあいに、検察官にどういう趣旨かと聞くことはある。このばあいの検察官の回答は、その内容を明確にするための資料である。このばあいには裁判所は表示された客観的記載を基礎として判断するのであるけれども、その判断ないし解釈の資料として表意者の意思を聞くのである。このばあいは法律行為的訴訟行為ではないからその回答は口頭であってもよいわけである。

しかしこのばあいと先の補正のばあいとは区別しなければならない。先の補正は無効を有効にする法律行為的なものであったのに対し、このばあいは有効・無効の判断の前提としての意味の確定である。したがって先の補正のばあいにも、検察官の意思を聞いて、犯人は犯意継続のうえ行なったものと認定することはできない。けだし、本件では犯意継続の有無はまったく記載されていないのであり、意思を聞いて認定しうるばあいは、犯意継続の有無については記載があるが、いま一つどちらかはっきりせず、ただ検察官の意思を聞くことにより、本来そのいずれか一方の意味であることが十分汲み取れるばあいである。だからもし検察官の訴訟行為によりその点を明らかにするとすれば、補正でなく訂正である。訂正は元来無効なものを有効にする手続ではなく、有効だけれども不十分なものを十分にする手続であるから、必ずしもそれを踏む必要はない。ただし訂正の手続をとるとすればやはり書面方式を必要とするのである。いずれにせよ起訴状に対する判断は記載の客観的意味によって決すべきであり、内心の意思によって決すべきではない。表示された客観的意思は表示の客観的意味を解釈する資料になるだけである。

（平場安治）

問題〔一二〕　問題〔一一〕に関連し、起訴状の瑕疵は有効に補正されたが、弁護人は、なお訴因の特定を欠いているため無効だというし、検察官は、起訴状としてはこれで十分で、いずれ詳細の点は立証段階で明らかにするという。裁判所としてはどのように決定すべきか。

起訴状に、訴因というかたちで、犯罪行為を明示するという意味を、もう少しつっこんで考えてみよう。

＊　＊　＊

一　検察官は「犯意継続の上」ということを書面で追加した。したがって一罪としての起訴であり、一個の訴因で足りることが明らかとなった。それに対して弁護人がなお訴因の特定を欠くというのは、その内容の特定、すなわち刑訴法二五六条三項後段にいう「訴因を明示するには、できる限り日時、場所及び方法を以て罪となるべき事実を特定してこれをしなければならない」という規定に違反することをいうのであろう。じじつ本起訴状では貸付金額と損害額の特定はあるが、その個々の貸付行為については全体としての枠はあるにしても、日時・場所・方法について具体的確定はなにもなされていないのである。これに対して、検察官がこの程度の特定で足り、詳細は立証段階で示せば足りるとするのは、日時・場所・方法はできるかぎりでよいとするのが法の趣旨であり、訴因は要するにどの構成要件に属するかということと構成要件に該当する事実の枠を明らかにすればよいという考えに立つものであろう。じじつ、訴因の記載内容をめぐっては二つの立場の対立があるのであり、一つは構成要件に該当する事実をその具体的姿において記載しなければならないとする立場であり、他は公訴事実の個別性を他の起訴されない事実と識別できる程度で記載すればよく、ただどの構成要件にあてはまるかを明らかにすればよいとする立場である。この対立は現象的には訴因変更の必要性の限度において明瞭に意識され、前者が事実記載説、後者が罰条同一説という名で呼ばれている。そうすると、このばあい、弁護人は事実記載説の立場からこのようにいっているのであり、検察官は罰条同一説の立場からこのようにいっていることが明らかとなる。それでは、裁判所は、その間にあってどのように裁くべきであろうか。訴因制度の機能として少なくとも嫌疑を相手方に予告する要素をもっている(この点は訴訟を審判の対象だとする立場を否定するものではない)。しかも憲法三一条についての実質説では、同条はこの点をも保障するとされる。そこで、訴因は相手方の防禦準備のための攻撃点を告知するものでなければならない。罰条同一説はそのような争点を法律点に限定する点で不備が感じられる。一方事実記載説もまだ立証に先立つ段階でいっさいの具体性において事実を予告することを要求する点で無理をしいるものである。法もまたこのような事情を顧慮して「できる限り」において事実記載を要求しているのである。結局は、法律点であれ事実点であれ、当事者間の決定的争点になるようなものは構成要件に該当する事実の枠内で訴因に構成して被告人に予告しておかなければならない。

二　このような観点から本起訴状を眺めると、なお若干の不備があるように思われる。まず約一五回にわたる不正貸付について、どれ一つとして具体性がなく、被告人としてはまったく防禦のしようがない。さらに合計千二百三十四万円の貸付からどうして五百六十七万円の損害を生じたのか、その過程の記載をまったく欠いている。ことに両者の金額の不一致がどうして生じたのか、その点は当然争点となるべきことがらであろう。ただ包括一罪について、一個の行為からなる訴因のばあいのように、個々の行為について特定を要求するのは無理でないかと思われる。それでは包括一罪を認める便利はまったく失われるといってよい。ただそれにしても包括的一罪を構成する一連の行為のうち少なくとも一つの行為は通常のばあいと同程度に確定されなければならない。というのは包括的一罪を構成する一連の行為のうち、その一つでも証明されれば、その罪名において有罪となるのである。すなわち本件では約一五回の不正貸付行為のうち一回でも証明されれば背任罪は成立する。またその全行為が証明されても一罪であるから刑は加重されず、一回の行為のばあいと同様同じ構成要件の法定刑の中で処理せられ、ただ情状の問題として刑が重くなるにとどまる。それならば、一個の行為だけを訴因とし、他は加重的情状の証拠としても同様の目的は達しうるはずである。ただ既判力等の関係でこれを訴因にしておくだけである。このような実質を考慮すれば、包括一罪のばあいには少なくとも一個の構成要件に該当する行為だけは通常の訴因と同程度での特定を必要とし、他は本起訴状の例のような包括的記載でもさしつかえないという結論に達する。

ところが本件では、その全部の行為(攻撃方法)について平等に包括的記載がなされているのであり、その点では少なくとも防御準備を侵害するという意味での訴因の不特定がみられると思う。ただ、これは当事者の防御のためであるから、相手方から異議が申し立てられないかぎりその瑕疵は治癒せられるとみるべきであろう。しかし本件ではその異議が申し立てられたのであるから、検察官の補正がないかぎり、公訴棄却の判決をしなければならないであろう。

(平場安治)

問題〔一三〕 問題〔一二〕における瑕疵が治癒せられて立証段階に入ったところ、Aは犯意継続のうえで不正貸付をしたのではなく、Bの事業の状況、Bの依頼から三回にわたり犯意を更新してBを助けたことが明らかとなった。裁判所はどのようにすべきか。

罪数の変化が、訴訟上の単位である公訴事実や訴因の概念とどうかかわり合うのかが本問の一つのポイントである。もう一つは、それを裁判所がどう処理すべきかという手続上の問題である。

* * *

一　わたくしの見解を前提とすれば、このばあい一個の背任から三個の背任に変更したことになる。このばあいに三個の背任罪を認定して併合罪として処断することができるであろうか。

まず、本件の公訴提起はこの三個の背任の事実に及んでいるであろうか。公訴提起の効力は公訴事実の単一かつ同一の範囲に及ぶというのが通説である。本件では、まず公訴事実の単一の点で引っ掛りが感ぜられよう。けだし一個の背任と三個の背任が公訴事実の単一性の範囲にあるとするのは明らかに無理があるからである。しかしよく考えてみると同じ事実を前には一個の背任と判断し現在は三個の背任と判断しているだけである。すなわち初めに起訴された事実から別段外にはみだしていないのである。通説が公訴事実の単一を訴因の追加変更の限界とするばあい、そこでは前の事実からはみだした事実を処理するときのはみだし方の限界についていわれているのである。すなわちたとえば窃盗の訴因について新たにその手段たる住居侵入の訴因を追加するばあいのように。

ところが本件では、このようなはみだしのまったくない同一事実の罪数的判断が変更しただけであるから、元来公訴事実単一の問題の起きる場面ではないのである。すなわち前に一罪今三罪とされる事実と起訴状に記載されなかった事実とが一罪関係に立つばあいに公訴事実の単一性は認められるのである。詳言すれば一罪時代にはその一罪と一罪関係に立つ事実、三罪時代には三罪の各一罪と一罪関係に立つ事実は公訴事実単一性があり訴因変更の許される範囲にある。これに対して、一罪とみた事実が実は三罪であったというばあいの両者の関係はある認定段階の幅の問題ではなく、認定事実のくい違いの前後同一の問題であり、むしろ公訴事実同一性の問題である。しかも同一性の決定基準については、認定事実の基本的同一のみに基準を置く立場と罪質をも重視する立場があるが、いずれにしても罪数は重要でないと考えられるのであり、かつ本件では歴史的事実としても同一であり、内容のくい違いといっても犯罪継続の有無だけであって、要するに客観的事実は変わらず、その意味が変わったに過ぎないから、いずれの立場からしても、公訴事実の同一性は肯定せられうる。

二　公訴事実の単一および同一の範囲内にあっても、訴因制度を採用する現行法のもとでは、それでもって直ちに訴因記載以外の事実に有罪を言い渡すことはできない。訴因変更の方法によって訴因化して始めて現実の審判の対象とすることができるのである。そこで現在認定された事実につき有罪・無罪を言い渡すには訴因変更の手続が必要だということになろう。ただ上述したように客観的事実はまったく同じなのだから、訴因の変更の必要があるかという疑問が起こる。すなわち訴因を主張とみる立場からも、それは構成要件に該当する事実の主張であり、一罪としての主張、三罪としての主張は重要でない(法律点の主張は裁判所を拘束しない)から、先の一罪の主張の中に現在の三罪となる事実の主張はなされているのである以上、別段主張の変更でも新たな主張の追加でもないから、訴因の変更は必要でないという結論になりそうだし、訴因を予告とみる立場からも、先の一罪としての予告の内に現在の三罪としたばあいに必要な予告事実はすべて含まれているのであるから、新たな予告の必要はないということになりそうである。しかし、そう考えることはできない。というのは　犯意継続のうえという事実が三回にわたり犯意更新してという事実に変わっているのである。これは構成要件に該当する事実の変更ではないけれども、構成要件の該当回数を決する事実の変更であり、要するに罪数を決する事実の変更である。訴因は事実的および法的争点の告知である。このような事実の変更もまた法的に重要な事実の変更であるから訴因の変更を必要とするのである。

ちなみに、事実の面においてはまったく変わらず、ただ一罪か数罪かの法的見解だけがくい違うばあいには訴因の変更を必要としないであろう。たとえば上例で最初から三回にわたり犯意を更新してとなっていたが、検察官はその法的見解において一罪とみ、裁判所はこれを三罪と解したといったばあいである。このばあいはただ法的見解が変わっただけであって、法的見解を変える基礎となった事実の変更があったわけでないから訴因の変更を必要としない。けだし訴因は争点となるべき事実の記載だからである。ただ、このばあいにも裁判所の法的見解によって裁判するとすれば、訴因が相互に区分特定せられていないという点で瑕疵がある。したがって起訴状そのままでは、このような裁判をすることはできない。しかし、このばあいの起訴状の変更は訴因の変更ではなくて起訴状の補正である。ところが本問では法的見解だけの変更ではなく、客観的に法的結論の差異を生ずるべき事実の変更のあるばあいである。だから起訴状の補正ではなく訴因の変更である。

三　ところで本問で問うているのは裁判所の処置である。訴因変更は検察官の権限であるが、裁判所も訴因変更命令を出すことができる(刑訴三一二条二項)。だから裁判所が訴因変更につきとりうる処置として、訴因変更命令を検討しなければならない。訴因変更命令は「審理の経過に鑑み適当と認めるときは」出すことができるのであるから、このばあいも出すことができる。ただ問題は、そのような訴因変更命令を出す義務があるか。すなわち出さなかったなら訴訟手続の法令違反として控訴審において破棄されるかである。

裁判所に訴因変更を命令する義務があるかの問題は、これを否定するのが今日有力な見解であり、判例もまたこれを否定する(最判昭和三三・五・二〇刑集一二巻七号一三九八頁)。その理由とされるのは、訴因は検察官の訴訟追行の対象であり、元来、裁判所の介入すべきことではなく、ただ検察官が不注意で訴因変更をしないばあいに注意を促す意味で、変更命令を出す権限をあたえているのだから、訴因変更を命じる義務までもないのだというのである。しかし、刑訴法の実体的正義ないし実体的真実の理念からは変更命令が義務であるばあいもあろうと考える。裁判所は、その機能からこのような実体的正義または実体的真実を実現する義務があろうと思われる。もっともそれを実現するには実定法の制度との結びつきにおいてなされる。現行法では当事者主義がこのような理念に役立つとともに人権擁護に有効だとしてこれを採用した。訴因制度もまた検察官の訴訟追行と被告人の防禦により上述の理念に到達することができるとして採用されたものである。したがって検察官の訴訟追行における主導性は十分尊重しなければならない。ただ、検察官の訴訟追行にまかしておいたのでは著しく不正義を生じるというばあいにだけ補充的職権主義が現われ、訴因変更の義務が認められる。だから問題はもし訴因を変更しなければ、到底容認できないような不正義の結果になるか否かにかかっている。たとえば犯罪の証明があるのに訴因との関係から無罪を言い渡さざるをえないようなばあいである。

では本件では、もし訴因を変更しなければどういう結果になるか。もとの訴因は包括一罪の訴因であり、しかも新三訴因となるべきもののすべてはその中に含まれている。

だから訴因に含まれる事実の一部で犯罪が認定できるならば訴因の変更なくて有罪を言い渡しうる(大は小を兼ねる)との法理を認めるかぎり、もとの訴因で新三訴因となるべきもののどれか一つは有罪とすることはできる。もっとも新しく三訴因となるべきもののすべてを有罪とすることはできない。併合罪の関係にあることが示されていないからである。だから、その結果は併合罪加重はできないが、既判力は他の部分に及ばない。だから、その結果は別段不正義をもたらすようなものではない。新たに三罪と認めるような証拠が出たのだから検察官もそれに気づいて訴因変更を申し出るのが普通であろうが、検察官もうっかりしていることもあろう。この際裁判官の採るべき措置は、一般の訴訟指揮権にもとづき、検察官に注意を促し、訴因変更を勧告する程度であろう。もし勧告に応じないばあいには、訴因変更命令まで出すのは妥当を欠く。まして訴因変更命令を出す義務などはない。

(平場安治)

問題〔一四〕 (1) 住居侵入・強姦致傷の起訴があったが、審理してみたら致傷はなく、単純な強姦と住居侵入の牽連犯と判明した。裁判所はどうすべきか。なお、強姦について告訴はない。

(2) 右のばあい、もともと強姦致傷について告訴がなされていたらどうか。

(3) 起訴の当時は告訴がなかったが、のちに追完されたばあいはどうか。強姦への訴因変更と同時に、検察官が有効な告訴を提示したばあいはどうか。

(4) 設問の(1)にかえって、告訴がないまま、審判を進め、住居侵入だけで有罪判決が下されたとしよう。その確定後、検察官は告訴をとりつけて、再び強姦を独立に起訴できるか。告訴があったのに、裁判所があやまってないと判断して、住居侵入だけで有罪としたばあい、実は告訴は存在していたといって強姦で起訴できるか。

審判の範囲、訴訟条件、既判力などの基礎理論は頭に入っていると思うが、その一つの変形問題。親告罪の告訴と科刑上一罪という関係が入ってくるのでちょっと厄介になっている。

＊　＊　＊

一　(1)について

強姦は親告罪であるから、事件は、親告罪と非親告罪の牽連犯となった。いうまでもなく、親告罪については、告訴がなければ実体審判ができない。ただ、刑法五四条を実質的な一罪と解すると、全体として親告罪になるとか、あるいは全体として非親告罪になるという理屈も出てきていい。しかし、前説によると、公訴を棄却しなければならなくなって不合理だし、後説では、告訴権者の利益を積極的に侵害することになってしまう。

そこで通説は、五四条を科刑上の一罪と解し、ばあいによって、二罪に分断することを承認する。本問のように、告訴権者の利害に関係するときは、例外的に二罪を独立したものとして、裁判所は、非親告罪の住居侵入だけ審判できることになるとするのである。判例もこの立場をとった(大判昭和一三・六・一四刑集一七巻四三三頁)。したがって、住居侵入の事実が認められれば、それだけについて有罪の言渡が可能である。

このばあい、強姦の部分について審判できない旨を理由中で説明する。しかし、ここで一つ考えなければならないことがある。検察官の起訴は、住居侵入・強姦致傷の訴因のはずである。しかし、審理できないとするには、住居侵入・強姦でなければならない。公訴が有効か無効かは、形式的な判断だから、証拠(強姦)を標準にではなく、起訴行為(訴因)を基準にして判断する。そうすると、訴因を強姦に変更させなければならないのではないかと思われる。ただ、「大は小を兼ねる」ということはある。判例も、強盗の訴因で恐喝の認定を許しているし、殺人未遂を傷害、強盗致死を傷害致死と認めてよいとする。この理論が本問のばあいにも応用できるだろうか。たしかに、強姦は強姦致傷の縮小された訴因とみることができる。しかし、非親告罪と親告罪ということで、他の一般のばあいと同列に考えることはできない。やはり、裁判所は、検察官に訴因の変更(撤回させることもできるであろう)をうながすのが筋である。

二 (2)について

告訴があれば訴訟条件は具備しているのであるから、住居侵入・強姦の両事実について審理をつくし、実体判決を言い渡せるのは当然である。ただ、元来の告訴は非親告罪に対するそれであるから、告訴人の気持を考えると、親告罪に対する告訴としても有効かは疑問がないわけではない。告訴不可分の原則があるにもかかわらず、いわゆる相対的親告罪で、身分関係のない共犯者に対する告訴は、身分のある他の共犯に及ばないとされるし、また、科刑上一罪中の非親告罪に限定した告訴は、親告罪に及ばないとされるのである。とくに、たとえば、営利目的の誘拐としての告訴を、わいせつ目的の誘拐のそれとして有効と解しうるか大いに疑問である。しかし、本問のように強姦致傷と強姦のように密接な相関関係のあるばあいは、必ずしも告訴人の意思に反することはないといってよいだろう。

三　(3)について

告訴の追完を認めるべきどうかの問題だが、判例は、追完を認める規定がないこと、告訴は訴訟成立の要件であることを理由に許さない（大判大正五・七・一刑録二二輯一一九一頁）。しかし、有力な学説は、訴訟の発展的性格および棄却しても再訴できるから無駄だということを理由に、これを認めようとする（団藤・新刑事訴訟法綱要（六訂版）三三五頁）。そのいずれをとるかで、結論も違ってくる。ただ、現行法では、訴訟物は訴因で画され、訴訟条件の有無は訴因を標準に判断されるから、強姦の訴因になったとき告訴があれば、追完の問題ではなく、訴追はむろん有効となる。

四　(4)について

結論を先にいうと、どちらもできない。確定判決があったときにあたるとして、免訴が言い渡されることになる(刑訴三三七条一項)。

住居侵入と強姦は牽連犯であって、公訴事実を同一にするから、一事不再理の効力が及ぶとするのである。通説はこれを既判力の効果とみ、審判の法律的可能性という概念で説明しようとする。しかし、この概念を使ったのでは、逆に強姦の再訴を許さざるをえなくなる。告訴がない以上、強姦についての審判は不可能だったからである。ドイツでは、再訴を許そうとする方が有力であるが、この方が論理的なはずである。そこで、検察官の同時審判請求の義務ないし可能性という概念をもってくる学説がある。しかし、なぜ審判請求の義務があるかというと、刑法五四条によって一個の刑罰が加えられる事実については、その全範囲で被告人は訴追の事実上の可能性(危険)にさらされているからであろう。

なお、一事不再理が及んでしまえば、後半の問題も同じことだが、実質的には、告訴がなかったという判断が既判力を生じているという説明も可能であることをつけ加えておきたい(通説は、形式裁判には既判力を認めないから、本例でも、既判力はないはずである)。

(田　宮　裕)

問題〔一五〕 甲・乙・丙三裁判官の合議体で、ある被告事件を審理中、丙裁判官が転任したので、丁裁判官がこの合議体の構成員になり、公判手続を更新した。

(1) 旧構成のときに、弁護人からなされた証拠調の請求の効力はどうか。

(2) 旧構成のときに、A証人の尋問が行なわれた。この証人尋問は有効か。

(3) 右A証人の供述を証拠にするには、どうしたらよいか。

(4) 右のばあい、直接Aの供述を聞いた裁判官甲・乙は、Aの供述態度からして、その証言には十分な信憑力があるとしたが、調書の朗読を聞いた裁判官丁は、証言の信憑力について十分な心証を得なかった。このばあい、合議体の多数の意見により、Aの証言には信憑力がある、としてよいか。

(5) 丙裁判官には、除斥事由があったとすると、旧構成のときになされた証拠調の決定の効力はどうか。また、証人尋問の効力はどうか。

*　　*　　*

公判手続の更新の問題点は、更新前の手続をどれだけ継続できるかにある。その意義を抽象論ではなく、具体的に考えてもらおうとするのが本問である。

一　(1)について

手続の更新によって、実体形成行為は、直接主義に反する限度で効力を失うが、手続形成行為は、効力を失わないといわれる。直接主義ということばには、いろいろな意味があるが、このばあいは、裁判所はみずから取り調べた証拠にもとづいて判決しなければならない、という直接審理主義の意味であろう。いずれにしても、証拠調の請求は、手続形成行為だから、効力を失わず、したがって、手続更新後の裁判所は、この請求に対して、証拠決定をしなければならないことになる。手続の更新によって実体が消滅する、という説明からも、同じ結論がみちびかれる。ここで実体といったのは、訴因とも証拠とも区別された裁判所の「心証」の意味である。手続の更新が行なわれるのは、本問のような裁判官の交代のばあいに限られないから、直接主義の観念だけに頼るよりも、心証の消滅および再形成として考える方が適当だと思われる。

二　(2)について

このばあい、有効ということの意味をはっきりさせなければならない。Aの公判廷での供述をそのまま判決の基礎としてよいか、という意味では、効力はないといわなければならない。しかし、Aの供述を記載した公判調書が証拠になるか、という意味では、この証人尋問は有効である。

三　(3)について

Aに対する証人尋問が行なわれた期日の公判調書を証拠として取り調べればよい。取調の方法は、むろん公判廷における朗読である(規則二〇三条の二で、要旨の告知でも足りる。さらに、規則二一三条の二第四号で、更新のばあいは、訴訟関係人に異議がなければ、もっと簡単にしてもよいことになっている)。これは、直接主義の要求に反する点があるが、現行法は、三二一条二項で、この調書の証拠能力を認めている。被告人には、A証人の証人尋問の際、反対尋問の機会が与えられているが、それは、旧構成の裁判所の面前においてであるから、あらためて証人尋問を行なう方が、反対尋問権の保障を完全ならしめることになる。したがって、公判調書の取調は、証人尋問のくりかえしが不便で、調書を利用する必要があるばあいに限るべきであろう。規則は、この種の書面を「職権で……取り調べなければならない」としているが(二一三条の二第三号本文)、妥当ではなく、むしろ、証人の再喚問を原則としなければならない。

四　(4)について

手続が更新されたとき、直接主義に反する限度で効力を失う、というのも、実体が消滅する、というのも、甲・乙両裁判官が、Aの公判廷での証言からとった心証を判決の基礎にしてはならない、という趣旨である。甲・乙裁判官は、更新後の公判期日における、調書の朗読だけから心証をとらなければならない。だから、本来は甲・乙・丁の結論は一致するはずだともいえる。もっとも、同一の証拠に対しても、裁判官によって心証が違うことはむろんありうる。甲・乙裁判官が、われわれは、調書の朗読だけにもとづいて、丁裁判官とは異なる心証を得たのだ、と称するばあい、はたしてそうなのか、それとも、実はAの公判廷での供述を心証の基礎にしているのか、その判断はむずかしいだろう。

五　(5)について

このばあいにも、手続形成行為は有効だとすれば、証拠決定は効力を失わないことになる。しかし、除斥事由のある裁判官が加わってした証拠決定の効果を、無条件で維持するのは、妥当でない。刑事訴訟規則は、手続更新のばあい、証拠能力の点は、更新後の裁判所がもう一度検討し、証拠能力がないと積極的に判断するときは、排除決定をしなければならないとした(二一三条の二第三号但書)。

証人尋問は、効力を失う。公判調書を証拠にすることはできない。

(平野竜一)

問題〔一六〕 被告人Xにつき、詐欺と横領の二個の事件が併合して審理されている。検察官は詐欺の事実を立証するためというので、商業帳簿の取調を請求し、裁判所はこれを採用して取り調べた。同帳簿の記載内容が横領の事実の証明にも役立つ関係にあるばあい、裁判所はこれを横領の事実の認定資料とすることができるか。

これはいわゆる立証趣旨の拘束力の問題である。拘束力があるという説はまだ微弱だが、現行刑訴法が飛躍的に当事者主義化したことを具体的な手続に即して考えてみると、反省の余地がないだろうか。

＊　＊　＊

一　証拠調の請求は、証拠と証明すべき事実との関係を具体的に明示してしなければならないことになっている(刑訴規則一八九条一項)。この明示された証拠と事実との関係を立証趣旨という。

立証趣旨の拘束力の問題は、証拠能力の制限の問題と区別することを要する。ときに両者は混同して論ぜられる。しかし、前者は立証趣旨によって証拠の証明力の及ぶ範囲を制限すべきかどうかの問題であり、後者はある資料について証拠としての資格を認めることができるかどうかの問題である。一は手続法上の要請にもとづく制限の問題であり、他は証拠法上の要請にもとづく制約の問題であって、それは平面を異にする。たとえば、設問のばあい、ある伝聞証拠の取調が請求され、相手方が詐欺との関係においてのみ証拠とすることに同意したときは、これを横領の証拠とすることはできないが、それは、横領との関係においては証拠能力が認められないからにほかならない。このばあい、横領に関するかぎり、立証趣旨の拘束力を問題とする余地がない。立証趣旨の拘束力は、証拠能力のある証拠についてはじめて問題となる。後者は前者の先決問題をなす。

設問の商業帳簿については、刑訴法三二三条二号により証拠能力が認められている。詐欺・横領のいずれについても証拠としての資格を有するわけである。ところが、その立証趣旨は、詐欺を証明するというにある。そこで、その拘束を受けて、横領については右帳簿を証拠とすることができないことになるかということが問題となる。

二　立証趣旨の拘束力を認めるべきかどうかについては、判例・学説上、積極、消極、折衷の三つの考え方がある。

その拘束力を認める説は、つぎのようにいう。立証趣旨は、相手方が提出された証拠の証明力を争う等、防禦権を行使するについて重要な意味をもつ。これを認めないと相手方に不意打ちを与えることになり、正当手続の理念に反する結果となる。

その拘束力を否定する説は、つぎのようにいう。立証趣旨の制度は裁判所による証拠の採否の決定を円滑・容易にするためにあるにとどまり、立証趣旨にこれ以上の機能または効力を認めるべき実質的理由は存しない。

折衷的立場をとる説は、つぎのようにいう。立証趣旨の制度は、裁判所による証拠の採否の決定についての便宜に資するとともに、相手方に防禦上の不利益を与えないことを目的とするものであるから、相手方の利益を不当に害するおそれのないかぎり、当事者の立証趣旨にとらわれなくてもよい。

三　法が、立証趣旨を明示しないということだけで証拠調の請求を却下することができるものとしている点(刑訴規則一八九条四項)からみると、立証趣旨の制度はさしあたり裁判所の証拠決定の便宜を考慮したものであることがうかがわれる。しかし、現行の当事者主義の強化された訴訟構造のもとにおいては、立証趣旨にさらに特別の意味をもたせて理解することが相当である。立証は原則として当事者の訴訟活動に委ねられている(刑訴二九八条、刑訴規則一九三条)。当事者は、証拠調に関し異議を申し立てることができる（刑訴三〇九条）。当事者はまた、相互に反証の取調の請求その他の方法により、証拠の証明力を争う権利を有する（刑訴三〇八条、刑訴規則二〇四条）。ところで、立証趣旨に拘束力的な効力をもたせないと、当事者の立証活動における自主性も、右の権利の保護も十分には期待することができないことになるであろう。

設問について考えてみよう。検察官は、詐欺を立証するため商業帳簿の取調を請求したというのであるから、横領についてはその必要がないと考えていたかもしれない。被告人は、詐欺との関係において、同帳簿の取調につき述べるべき意見を決めたであろう。裁判所は、同じく詐欺との関係で、同帳簿の取調の要否を決定したであろう。また、被告人は、右と同じ立場から、同帳簿につき反証活動をしたことが想像される。すると、その帳簿がたまたま横領に関係しているからといって、直ちに横領の証拠とすることは、被告人に不意打ちを与えることになるだけでなく、検察官の意思に反することになり、さらには証拠決定のときの裁判所の意思にそわない結果ともなるであろう。

また、立証趣旨の拘束力を認めないと、反射的に立証趣旨を明確にしない風を助長して、証拠調手続（とくに証人尋問手続）の円滑な進行が阻害される結果となるおそれがある（この点は、とくに岸判事の指摘されるところである）。立証趣旨に拘束力を認めても、必要に応じ、訴訟指揮により立証趣旨を適宜拡張または修正させて運用するならば、手続の進行が窮屈になることはないと思われる。

四 設問に対する解答は、立証趣旨の拘束力を認めるかどうかによって、消極または積極となることが明らかである。

（柏井康夫）

問題〔一七〕 つぎのばあいに、裁判所は有罪を言い渡すことができるか。

(1) 殺人であるか傷害致死であるかが判明しないとき。

(2) 宣誓した同一証人のあい異なった二つの供述があるとき。

(3) 窃盗であるか賍物収受であるかが判明しないが、そのいずれかであることが確かなとき。

(4) 花札を使用して金銭を賭け、俗にコイコイまたは後先と称する賭博をしたことは確かだが、それが「賭事」にあたるか「博戯」にあたるか不明なとき。

刑事裁判で不特定的な事実の認定、とくに択一的事実の認定がどこまで許されるかを考えてみようとするのが本問である。

* * *

一 判決をするばあい、有罪の理由はとくに詳細に展開する必要があるわけだが、それはどうしてだろうか。第一に、裁判の公開の担保として、国民を納得させるためであり、第二に、被告人に対する保障、つまりその説得のためであり、第三に、上訴による審査の資料を提供するためである。そうすると、判決は、できるだけ具体的にかつ確定的に表示する方がのぞましい。とくに、刑事では、司法によって事件を解決するというばかりでなく、罪刑法定主義の要請もあるので、各刑罰法令に該当する具体的事実を一義的に表示しておく必要がある。

ところが、他方、犯罪は通常隠密裡に行なわれる、過去の一回的な歴史的事件であるから、これを確定するのはむずかしい。とくに、「合理的な疑いをこえる」という高度の心証で確認する必要がある。それに検察官の心証の反映である訴因の方は、択一的な記載が許される(刑訴二五六条五項)。そこで、多少の不特定的認定は許されるのではないかという問題が起こる。

しかし、訴因は、訴追側が審判の対象として、捜査の結果作りあげた青写真にすぎない。そこで、審判の途中でも、多少の変動の余裕は与えられる(訴因の変更)。この変動の可能性をあらかじめ提示したのが択一的記載である。この限度でわが法の弾劾主義＝弁論主義はやや後退したわけだが、それは法が捜査の実情に同情をもったためである。したがって、判決のばあいにこれを類推すべきではない。前述した判決のになうべき諸機能からすると、原則として択一的認定は許すべきではないであろう。わが国では、択一的認定はこれまでほとんど問題になったことはなかった。それが違法なことは当然すぎることだと考えられていたためであろう。これを前提に、以下、各事例を簡単に眺めてみよう。

二　まず、(1)だが、これは正確にいうと択一的認定のばあいではない。被告人の殺害行為という客観的側面は証明十分であるが、殺意つまり殺人の故意の点に疑問が残るというばあい、傷害致死の点まで認めて有罪にしてよいのは、その限度まで十分の証明ができているからである。いずれかが不明だというばあいではない。重なり合う二つの段階の事実があって、その低い段階の事実しか証明できないというのであって、いわば、「疑わしきは被告人の利益に」の原則の一適用なのである。判例もこの理を認めている。たとえば、酒の密造の事件で、アルコール含有量の多寡によって罰金額が違うばあい、含有量がわからなければ、その少ない方を認定してよいとするものがある(大判明治三六・一一・一三刑録九輯一八頁。なお、最決昭和三三・七・二二刑集一二巻一二号二七一二頁参照)。同様の関係は、既遂と未遂、正犯と幇助、殺人と同意殺、尊属殺と普通殺などの間にも存在する。

(2)は、これに反して、典型的な択一的な認定で、前述の理由から、認められないというべきであろう。とくに、わが国では、訴因の制度があるが、一個の事件として二個の訴因を択一的に書くこともできない事例であろう。二つの証言は、公訴事実を異にする二個の事実だというべきだからである。したがって、認定しようにも、必ず一方は審判の範囲外にあって、不可能である。

(3)の事例は、択一的認定の例としてもっともよく引用される。ドイツでは、この程度まで許そうとするのが大勢だといってよい。はじめは、同一構成要件内の実行形態を異にするようなばあいだけ(窓をよじのぼっての侵入窃盗か合鍵によって開扉しての侵入窃盗か)に認めていたが、ナチ時代になって、本例のばあいに許す判例が出現し、刑法にもとくに許す旨の規定がおかれた。この規定は、戦後廃止されたので、いまは解釈にまかされている。一義的な確定が不可能で、第三の可能性を完全に排斥できるばあいであり、法倫理的ないし心理的に等価値のばあいは許すというのが通説である。この結果、本問の(2)(3)のばあいのほか、横領と背任、強盗と恐喝、直接正犯と間接正犯などの間で択一的認定をしてよいとする。

わが法の解釈としては、とくに許す旨の明文の規定がないかぎり、不適法だとすべきであろう。なお、日時・場所が相当程度隔たれば、(2)と同じように公訴事実を異にすることにもなりかねない。

ところが、(4)のばあいは、有罪を言い渡してよい。というのは、有罪を言い渡すには、訴因の事実を、一定の構成要件との関係で一義的に確定すればよいが、このばあい、刑法一八五条の事実は十分証明＝確定しているからである（最判昭和二四・二・一〇刑集三巻二号一五五頁）。これを択一的認定といってもよいが、本来の意味のそれとは違うことを理解する必要がある。同様に、小切手の金額の改ざんが有価証券の偽造か変造かわからないときも、改ざんの事実だけ確定すれば十分である（最判昭和三六・九・二六刑集一五巻八号一五五二頁）。

（田　宮　裕）

問題〔一八〕 不利益な事実の承認（admission）と利益に反する供述（statement against interest）とは、どう違うか。

不利益な事実の承認（単に承認ともいう）と、利益に反する供述とは、言葉からしてよく似ていて混同しやすいけれども、両者ははっきり区別しなければならない。両者を区別するのは、たんなる概念の遊戯なのではなく、喧伝やかましい「共犯者の自白」の問題を解くカギにもなる。

* * *

一　承認は、当該事件の被告人が、その事件に関してなした供述に限られる。これに反して、利益に反する供述は、被告人以外の者の供述でもよく、当該事件に関して不利益なものでなくともよい。

承認は、被告人が当該事件について、不利益な事実を認めるものである。犯罪事実の全部（または大部分）を認めるものは、自白という。だから、自白は承認の一つのばあいだけれども、承認というときは、自白を除くことが多い。

この承認の性質について、かつては現在と違った考え方も行なわれた。承認は証拠ではなく、主張だというのである。犯罪事実を全面的に認める主張は、有罪の答弁とよばれるが、承認はいわば部分的な有罪の答弁だということになる。しかし、現在では、承認もまた一つの証拠だとされている。ただし、アメリカでは、現在でもなお、コンスピラシーについて、代理承認というものが認められている（コンスピラシーの推進の過程で、その一人がした承認は、他の者に対しても証拠になる）のは、そのなごりである。

では、なぜ承認は証拠になるのか。それは一種の自己矛盾の供述としてだろう。一方で無罪だといいながら、他方で有罪を認めるようなことをいっているので、このようなばあいには、両者を比較・検討する機会を裁判所に与えるのが妥当だという理由である。もっとも、その他に最少限度の信用性の情況的保証が要求される。それが任意性である。

この承認が自白の補強証拠になりうるかも、一つの問題である。アメリカでも見解は対立している。多数説は、補強証拠になるとする。自白とちがい、承認はもともと常に他の証拠とあわせて評価さるべき性質のものだから、自白のように軽率に信用してしまうおそれはない、とするのである。しかし少数説は、同じ被告人の口から出た供述では、自白と同じ性質のものであって、これを補強するに足りない。補強証拠は自白とは性質の違ったものでなければならないとしている。

二　利益に反する供述が証拠として許容されるのは、自己に不利益なことを言うのは、ほんとうなのだろう、という理由にもとづく。金を借りてもいないのに、「甲に借金がある」などとはいわないだろう、というわけである。だから、乙が公判廷外で、「甲に借金がある」と言ったときは、被告人Xがこれに対して反対尋問をする機会をもたなくとも、Xの利益にも不利にも証拠となるのである。

それで、利益に反する供述は、供述をしたときに利益に反するものでなければならず、また利益に反するものであることを意識していなければならない。それでなければ、「本当だろう」とはいえないから。これに反して承認は、証拠として提出するとき証明主題との関係で不利益なものであればよい。

刑罰を受けるに至るような供述は、利益に反する供述の中でも、最も利益に反するようにみえる。ところがアメリカでは、このようなばあいは証拠にならない。民事上その他の不利益な供述に限られ、刑事上不利益な供述は除外されるのである。そのために不都合なこともある。真犯人甲が、本当は俺がやったのだと乙に言って死んだとき、被告人Xは、この甲の供述を証拠にしようとしてもできないのである（もっとも、わが国ならは三二四条で証拠になる)。それにもかかわらず、刑事上不利益な供述が証拠として認められないのは、これを認めると、共犯者の自白が、反対尋問を経ないで証拠になるからである。共犯者甲が自白をしたとき、それは「本当だろう」というので、Xに対しても証拠になってしまうのである。これはどうしても認めがたい。

三　わが国では、補強証拠の要否の問題をめぐって、共犯者の自白は「本人の自白」だといえるかどうかが争われているが、このばあい、本問で説明した承認と利益に反する供述との区別が明らかにされていないように思われる。もし自白が利益に反する供述の一種であり、しかも刑事上の利益に反する供述であるにもかかわらず、許容されるのであるならば、Xの自白であれ、甲の自白であれ、何人に対しても証拠になる。そのかわり、本人の自白に補強証拠を必要とするならば、他の者の自白にも、やはり補強証拠を必要とするだろう。

しかし、自白は承認の一種として許容されるのであり、被告人以外の者の自白は、刑事上の不利益な供述であって、反対尋問を経ないかぎり証拠にされないとするならば、補強証拠もまた不要だということになる。

(平野竜一)

問題〔一九〕　A・B・Cの三人はVの殺害を共謀。その共謀にもとづいて、Aが拳銃を入手し、Bが直接殺害した。三人とも間もなく逮捕され、A・Bは三人の共謀の事実を警察官に自白したが（警察官の面前調書）、Cは否認し続けた。三人は共同被告人として起訴されたが、公判ではみな否認している。A・B・Cを有罪とする要件はなにか。なお、銃弾で殺された被害者の死体はでてきているが、共謀の日時・場所は必ずしもはっきりしない。

一見複雑なようだが、現実の裁判ではよくある事例。あわてずに分析してみれば、案外「ヤマがあたったような」基本的な問題だということがわかる。本人の自白および共犯者の自白に対する証拠法上の規制を、どれだけのみこんでいるかを試す問題である。

*　*　*

一　A、Bは自白しているから、補強証拠があれば有罪を言い渡すことができる（憲法三八条三項、刑訴三一九条二項）。補強証拠としては、学説は、多く「罪体」――少なくともその重要部分――について必要だとする（団藤・新刑事訴訟法綱要（六訂版）二二五頁）。この罪体がなにかは必ずしもはっきりしないが、客観的な侵害・損害の惹起があって、それが何人かの犯罪行為によるものであることがわかればよいだろう。そうすると、本問のばあい、弾痕のある被害者の死体が出てくれば十分だろう。判例によると、「自白にかかる事実の真実性を担保すればよい」から、もっと軽度の補強で足りるはずである（最判昭和二三・一〇・三〇刑集二巻一一号一四二七頁）。

ただ、強いて問題を探せば、Aの犯行に関する罪体はなにかということがある。Aは、共謀に参与し、その共謀にもとづいて拳銃を入手してきただけである。罪体である被害者の死体に関しては、直接の関係はない。拳銃は物的な準備手段にすぎないから、犯行との連結点は「共謀」しかなくなる。では、Aの罪体は共謀の事実なのか。あるいは、判例の立場に立つと、自白の真実性を担保するには、共謀を裏づけるなんらかの証拠が必要なのか。

判例は、故意や目的罪の目的や賍物罪の知情などの主観的要素には補強はいらないとしている。この線に沿って、共犯における「共同実行の意思」にも補強がいらないとした。そして結局、共謀についてもいらないという態度を打ち出した（最判昭和三二・一・二二刑集一一巻一号一〇三頁）。ところが、他方、共謀は「罪となるべき事実」ではある（最判昭和三三・五・二八刑集一二巻八号一七一八頁）。そして、共犯の共同加功の意思は共同実行と併せて正犯としての責任を形成するが、共謀はもっと重要で、むしろそれだけで刑事責任の基礎となる。共謀について、補強証拠がいらないといってよいのだろうか。これは重大な疑問だが、もう少し考えてみると、共謀は、犯罪と犯人を結びつける要素である。判例・学説は、犯人との結びつきまでは補強を要求していない。そうすると、やはり、共謀の点は自白だけで認定してさしつかえないことになる。Aは共謀じたいの問責を受けているのでなく、Bを通じて犯した殺人の共同正犯としての問責を受けているのだからそれでいいだろう(ただ、「罪となるべき事実」なのだから、自白だけで高度の蓋然性を示すばあいだけ有罪が維持される)。

二　問題の多いのはCについてである。A、Bは、公判廷では否認したというから、共同審理を受けている当該手続ばかりでなく(被告人として証人拒否権がある)、手続を分離して証人として喚問されたばあいも、証言を拒絶した(証人として証言拒絶権がある)ものと理解しよう。このばあい、A、Bの警察官面前調書が証拠能力があるかが第一段の問題、続いて、証拠能力があるとして、それは、A、Bに関しては自白調書であるが、自白に関する補強の法則が適用にならないかの問題が出てくる。

まず、証拠能力の点をみよう。A、Bはそれぞれ Cに対して共同被告人の関係に立つが、共同被告人は三二一条の適用があるか、三二二条の適用があるかがまず問題となる。判例は三二一条説をとる(最決昭和二七・一二・一一刑集六巻一一号一二九七頁)。そうすると、同条一項三号の要件が具わるかが分岐点になる。同号は三つの要件を掲げている。すなわち、(1)公判廷での供述の不能、(2)犯罪の存否の証明に不可欠、(3)特信情況。(2)の要件は比較的問題が少ない。(1)はどうだろう。公判廷での供述拒否は、法文の「供述者が死亡、精神若しくは身体の故障、所在不明又は国外にいるため……供述することができず」の中へ入れてよいか。同号は類推を許さないものではない。そこで判例は証言拒否は、証人が国外にいるばあいにもまして供述をとることが不能なばあいだといって、証拠能力を認めた(最判昭和二七・四・九刑集六巻四号五八四頁)。(3)の要件は、本問では具体的事情がわからないのでなんともいえないが、供述が理路整然としているとか、犯行時に近接していて記憶が新鮮だという特段の事由があればよい。

それでは補強証拠は必要か。憲法三八条の「本人の自白」に共犯者のそれも含むかで大いに問題となった問題である。判例は、共犯者も本人に対しては第三者だから不用だとした(最判昭和三三・五・二八刑集一二巻八号一七一八頁)。しかし、学説には反対するものが多い。他人に罪をなすりつけ、自己は免れるという危険があるという。また、本問では死体が出ているから問題がないが、もし補強のないばあい、自白した被告人は免れるが、否認している者は処罰されるという不都合があると指摘される。しかし、つぎのような理由で判例をサポートするものもある。すなわち、たとえ補強を要求しても、わが法では死体で足りるから、実益はないし、共犯者の自白が相互に補強し合うことも認めるので、本問のように、A、Bの二人の自白があれば、それだけでも十分になってしまう。したがって、現在のところ、真実性の保障は、裁判官の自由心証にまかされていると解するしかないというのである(だが、Cが共謀にしか参与していないのに、一番弱い証拠量で有罪とされてしまうのは、大いに疑問であろう)。

(田宮　裕)

問題〔二〇〕　甲と乙とは、共犯として起訴され、併合審理をうけている。

(1)　検察官は、甲に対する証拠として、乙の供述を得たいと考えている。このばあい、公判を分離して乙を証人として尋問する方法と、乙を被告人として供述させる方法とがあるが、その利害得失はどうか。

(2)　検察官は、検察官の面前での乙の供述を録取した書面を甲に対する証拠として用いたい。どういう方法があるか。

(3)　検察官は、第三者丙の司法警察職員に対する供述調書の取調を請求した。甲はこれを証拠とすることに同意したが、乙は同意しなかった。裁判所は、この供述調書を甲との関係だけで証拠調をすることができるか。

(4)　甲、乙は、相手の、検察官の面前での供述を録取した書面を証拠とすることにたがいに同意した。ところが、この事件では、この供述調書以外に証拠はない。証拠調はどうするか。

(5)　証人丁を尋問することになったが、その公判期日に乙は出頭しなかったので甲だけ在廷のままで丁を尋問した。

(a)　この丁の証言を乙に対して証拠とすることができるか。

(b)　右のばあい、甲に対する関係では公判期日とし、乙に対する関係では公判準備期日として、丁を尋問することができるか。

(c) 乙が右の公判調書を証拠とすることに同意したばあい、その丁の供述内容が、前に丁が検察官に対してした供述と相反しているとき、その検察官に対する供述調書を、乙に対して証拠とすることができるか。

(d) 乙が出頭しなかったため、甲のためにだけ証拠調をしたつぎの公判期日に、乙のために丁が証人として喚問された。甲は丁に対して反対尋問できるか。丁の証言は甲に対しても証拠となるか。

共同審理を受けている共犯の事件をめぐって起るいろいろの手続法上の問題、証拠法上の問題を考えてもらおうとするのが本問である。

* * *

一 (1)について　弁論を分離して乙を甲の証人として尋問すると、甲にとって有利な点としては、

(イ) 乙は自己の犯罪事実についてしか供述を拒否できないから、甲だけに関する事実については証言の義務があり、甲はこれに対して反対尋問をすることができる。

(ロ) 乙が証言を拒否しなかったときは、一度証言した以上、その点については供述拒否権を放棄したことになり、甲の反対尋問に答えなければならない。

逆に乙にとって不利益な点として、

(イ) 乙は被告人として、起訴事実はまちがいだといっているのであるから、証人台に立ったならば、無実である事由を堂々と述べることとど期待される。もし証人として供述を拒否するならば、被告人として無実だといっているのはうそだとみられることになる。したがって実際上証言を強制されることになるおそれがある。

(ロ) 手続が分離されると、乙の弁護人は弁護人として在廷することができないから、乙はその援助を受けられなくなる。

これに対し乙を被告人として質問すると、乙はいつでも供述を拒否できるし、弁護人の援助を受けられるが、甲は十分に反対尋問を行なうことができない不利益がある。したがって事実上、甲が十分に反対尋問をしたばあいにだけ乙の被告人としての供述を証拠にすることが妥当だと思われる。

二 (2)について　まず、手続を分離して乙を証人として尋問することを請求する。乙が検察官の期待どおりの証言をすれば、調書を使う必要はなくなる。もし、調書の内容と相反するか、あるいは実質的に異なった供述をしたときは、三二一条二項後段で調書を証拠とすることができる。もし、証言を拒否したら、三二一条一項二号前段で証拠とすることができる、とするのが判例である(この点の批判には立ち入らない)。なお、乙が被告人として供述し、甲の質問に答えたばあいも、右と同じように取り扱われている。

三 (3)について　併合審理のときは、証拠調の効果は、各被告人に共通なのが原則である。しかし、訴訟手続は、本来は各事件ごと、各被告人ごとにあるもので、それが併合された結果、証拠が共通になるにすぎない。だから、併合審理のばあいでも、とくにその旨を明示して別々の手続をすすめることも、理論的には不可能でないと思われる。ただこれによって、どのような弊害が生ずるかが問題である。乙の面前でその同意しない書面が朗読されると事実上、裁判官が乙に対する関係でも心証をとるおそれがあるが、この点は、裁判官は、自分で自分の心証のとり方をコントロールし、事実上の心証を乙の不利益に使わないようにすることができると考えることもできよう。しかし、乙がこの点について不安をもつこともじたいは否定できない。だからやはり分離して取り調べた方が妥当である。

四　(4)について　甲の書面は、甲自身にとっては自白調書である。自白調書は、他の証拠が取り調べられた後でなければ、この取調はできない。だから厳格にいえば、まず、甲の調書を乙に対する関係で取り調べ、ついで、乙の調書を甲に対する関係で取り調べ、それから甲の調書を、それぞれ甲、乙のために取り調べなければならないだろう。しかし、これはあまりに技巧的である。このばあいには、ただちに甲、乙のために甲の調書、ついで甲、乙のために乙の調書を取り調べても法の精神に反しないと思われる。

五　(5)について　(a)のばあい　そのまま証拠にすることは、もちろんできない。丁に対する尋問およびその供述を記載した公判調書も、乙の同意がないかぎり、三二一条一項一号の要件をみたさなければ証拠にできない。

(b)のばあい　公判準備だと被告人に出頭の機会は与えなければならないが、被告人が出頭しなくとも証人尋問をすることができる。右のばあい被告人には公判期日の召喚がなされたにもかかわらず出頭しなかったのであるから、出頭の機会は与えられている。この点では公判準備として違法はない。しかし、公判準備で証人を尋問するには、それ相当の理由がなければならない。それは、公判期日を開く余裕がないばあいや、公開の取調が適当でないようなばあいである。だから、もう一度証人を呼び出すのは、あまりに証人に負担をかけるというだけの理由で、公判準備にきりかえるのは、はなはだ疑問である。もし証人を呼ぶのがあまりに負担をかけるのであれば、その日の公判調書を証拠とすることに同意を求めればよい。同意をすれば問題はなくなるが、同意しなかったときまでこの調書を公判準備の証人尋問調書として使うのは妥当であるまい。

(c)のばあい　三二一条後段によれば、丁の公判期日における供述と相反しているばあいには、検察官の面前における供述調書を証拠とすることができる。この規定の趣旨がただ二つの相反する供述と比較して、その証明力を検討する機会を裁判所に与えたにすぎないものであるならば、右のばあいも同じように比較・検討をすることが許されてしかるべきだろう。しかし、三二一条の趣旨が、検察官の調書に対して後に反対尋問の機会を与えたばあいには証拠とすることができるという趣旨であるならば、右のばあいに検察官調書を証拠とすることはできないことになる。

(d)のばあい　このばあいも、はっきり乙だけのためだということにすれば、甲は反対尋問できないし、そのかわり甲に対しては証拠にならない。しかし、甲が望むならば反対尋問を許し、そのかわり、甲に対しても証拠とする方が妥当であろう。

（平野竜一）

問題〔二一〕 被告人X、Yにつき、両名の共犯窃盗とXの単独窃盗が併合して審理されている。検察官は、YがXの単独窃盗の事実を知っているというので、Yにつき被告人質問をした。Yは検察官の面前における供述と相反する供述をしたので、検察官は、刑訴法三二一条一項二号により、Yの検察官に対する供述調書の取調を請求した。裁判所は、Yの前の供述に特信情況があると認めて、これを取り調べた。この手続についての問題点を指摘せよ。

本問は、被告人の訴訟上の地位、被告人質問の性質、ひいてはそれと証人尋問との相違、共同被告人(同一の訴訟手続で審理を受けている二人以上の者をいう。X、Yは併合審理を受けているから、これにあたる)相互間の関係を問題とするものである。

* * *

一 現行法上、被告人は当事者としての地位と証拠方法としての地位とを有する。一方において、被告人は、検察官に対立する当事者として、防禦活動の主体をなす。他方において、被告人の供述は証拠としての許容性をもつ。しかし、訴訟の仕組みのうえでは、その当事者としての地位に主眼がおかれ、その証拠方法としての地位については特別の考慮が払われている。すなわち、任意になされた供述でなければ証拠とすることができず、糾問的な被告人尋問の制度は認められず、また被告人は自己の事件については証人適格を有しない。

二　証拠とするために被告人の供述を獲得する方法としては、必要な事項についてその任意の供述を求める手続が法定されているにすぎない(刑訴三一一条)。これは、普通被告人質問と呼ばれる。

被告人質問は、被告人自身の事件についてその供述を求める手続である。しかも、その任意の供述を求める手続である。被告人には黙秘権がある。被告人質問は右の二点において証人尋問と異なる。後者は、ある事件について第三者の供述を求める手続であり、その第三者の供述は法律上の義務とされている。証人についても、一定の事由の存在を要件として証言拒絶権が認められているが、黙秘権のほうがより強力であることはいうまでもない。

共同被告人のばあい、質問によって引き出された一の被告人の供述は他の被告人に対する関係でも証拠とすることができる、と解するのが判例・通説である。ここにいう被告人の供述は、当該被告人自身の事件につきその任意の供述を求める質問によって引き出されたものを意味すると解しなければならない。他の被告人の証拠とするために一の被告人を質問することは、もはや法の意図する被告人質問とはいえないからである。一の被告人の供述内容が他の被告人の事件にも関連するばあいには、併合審理の行なわれている関係上、これを同被告人についても証拠とするのが相当であるというにすぎないのである。これを相当とする以上、他の被告人に反対質問の機会が与えられなければならない。このばあいの反対質問は、他の被告人のための質問としての観を呈するが、それは、一の被告人に対する質問の結果を他の被告人に対して流用することを認めた当然の結果である。右のような事例は、共犯事件について数人の者が併合審理を受けているばあいにだけおこりうるであろう。なお、他の被告人としては、事件を分離したうえ、一の被告人を証人として尋問するほうが有利だともいえる。証人審問権の保障があるから、右の措置についての権利は他の被告人に留保されているものというべきであろう。

三　そこで、設問について考えてみよう。X、Yは共同被告人である。したがって、前述の見解に従えば、両名の共犯窃盗に関するかぎり、XまたはYに対する被告人質問の結果は相互間において証拠となりうるのが普通であろう。しかし、単独窃盗はXの事件であって、Yのそれではない。Yは第三者的立場にあるのである。単独窃盗に関するかぎり、検察官もXも、Yを被告人として質問することは許されない。たまたま併合審理が行なわれているからといって、これを許すことは前述の被告人質問の性質に反する。このような質問を一般化することは、被告人を当事者としての地位から引き下げて証拠方法化するものであるとのそしりを免れないであろう。また、このばあいには、Xの証人審問権を害するおそれが強い。YがXに対する関係で証人になったと仮定するとき、Yは、共犯窃盗については黙秘権に近い証言拒絶権を有する(刑訴一四六条)に反し、単独窃盗については普通の証人としてのそれしか有しないからである。

すると、設問における検察官のYに対する被告人質問は許されるべきでなかったということになる。Yは、Xの単独窃盗については、事件を分離したうえ証人として尋問されるべき筋合であったわけである。

共同被告人は、相互の関係において、刑訴法三二一条一項一、二号にいわゆる被告人以外の者にあたると解するのが判例である。ある被告人に対する質問によって引き出された供述が前の供述と相反するかまたは異なるときは、他の被告人に対する関係でも右の前の供述を証拠とすることができるというのである。もちろんこれは、被告人質問による供述そのものを他の被告人に対する関係でも証拠とすることが許されるばあいのことをいっているものと考えるべきである。ところが、Xの単独窃盗については、Yを被告人として質問することの許されないことは前述のとおりであるから、設問における供述調書の取調はその要件を欠き、違法であることを免れないことになる（もっとも、Yが任意に質問に答え、Xも別段異議を述べなかったとするならば、被告人質問によったことの瑕疵は治癒されると解することも可能であろうか）。

（柏井康夫）

問題〔二二〕　被告人Aに対する殺人被告事件の公判で、裁判所の命令によってその精神状態について鑑定して鑑定書を提出し、Aの犯行当時の精神状態は正常であるとの意見を表明していた医師Xは、刑訴法三二一条四項に従って証人として検察官および弁護人の尋問を受けた。

検察官の主尋問に対してその結論の根拠の説明をしたXは、その鑑定にあたってAの問診を行ない、その犯行の動機、犯行の準備、犯行そのものについての記憶がよく整理され、順序立てられていること、Aの家族B、Aの友人CについてAの日常の起居動作、言行などの聴取の結果、犯行の前後の精神状態は正常であると判断した旨述べ、また弁護人Yの反対尋問に際しては、一〇年の経験のある神経科の医師であるが、裁判所の命によって精神鑑定をしたのははじめてであると述べた。

裁判所は、医師Xの供述中被告人の供述を内容とする部分を犯罪事実の証拠とすることができるか。またB、Cの供述をAの量刑の証拠とすることができるか。

裁判所は、Xの鑑定を証明力がないとして採用しないことは許されるか。

こういう長い問題では、まずポイントをおさえて、論点を整理してみる必要がある。

本問では、三つのことが問われているが、その第一は、伝聞が立証趣旨と関連する相対的な概念であることをよく理解してもらうためのものであり、第二は、量刑の立証方法を尋ね、第三は、科学的証拠である鑑定の裁判所に対する拘束力の有無を問題にしている。

*　　*　　*

一　鑑定の性質がまず問題になる。これを証人の一種とみるか、裁判所の補助者とみるかである。民訴法三〇五条が鑑定人忌避の制度を設けているのは裁判所の補助者とみるからであるが、刑訴法では旧刑訴法以来証人の一種として取り扱っており、鑑定人忌避の制度はなく、ことに現行刑訴法に強い影響を与えている英米法ではこれを証人の一種と理解しており、鑑定は鑑定人の意見の供述であり、その証明力の吟味は反対尋問によるべきであるとしていて、現行法も刑訴法三二一条四項はその影響下にあるから、旧刑訴法以上に証人としての性格が強い。

刑訴法三二一条四項の尋問は、もとより鑑定書の作成者であるとの形式点に限らない(それだけであれば鑑定書の署名、押印を見れば明らかになる)で、鑑定人が十分な資料を用い、誤りなくその意見を構成し表明しているかということについても及ぶのが当然である。

したがって用いた資料の尋問にあたって他人の供述が証言の内容となることもしばしばであるし、それについては伝聞証拠であるとして異議を申し立てることは許されない。これらの伝聞の供述はその立証の趣旨が鑑定人の意見の構成のための資料として用いたという点にあるので、その供述の内容じたいが真実であるとして提出されているのではないから、本来伝聞証拠ではない。しかし、このような伝聞供述が許されるのはその限度であって、それ自身を犯罪事実認定の証拠に使うことは許されない。立証の趣旨は証明力まで拘束しないと考えるが、なにが伝聞証拠かという証拠能力の点は拘束すると考えるからである。ところでこの問題のばあいにはY弁護人も被告人もとくに異議の申立はしていない。証人の供述中に伝聞の供述があるのにこれを看過した当事者、弁護人はその点についての反対尋問権を放棄し、証拠とすることに同意したものと解されるのが一般である。これは意思表示の解釈の問題であるから常に具体的なばあいについて考えなければならないが、鑑定人のばあいは立証趣旨が明らかに異なるから、異議を述べなかったということによって直ちに同意の効力を生ずるとは解しがたい。このようにみてくると裁判所は鑑定人Xの供述中に出てくる被告人の供述、その他B、Cの供述をとって厳格な証明の資料に用いることは許されないということになる。自由な証明で足りる刑の量定の証拠としてB、Cの供述を用いることは禁止されない。異議を述べたところで同じとするのが通説であって、B、Cの証人尋問なりXの証人尋問なりを改めて行なう必要はないということになる。適正の証明という考え方をここに取り入れれば、異議があれば厳格な証明を要することになる。

二　刑訴法三二一条四項は証人として尋問する旨の前項の規定を準用しているから、形式的には証人尋問であるが、その実質まで全面的には証人尋問になるのではない。すでにした実験の結果について報告するから実質的にも証人であるとの説はあるし、その部分の供述が含まれることは当然であるが、改めて意見を問うことも禁止されていないし、同項の尋問の趣旨は意見の正確性にも当然及ぶから、形式的には証人尋問でありながら実質的には鑑定人尋問の部分が多いということになろう。このばあいに虚偽を述べることが偽証の罪になるのか虚偽鑑定の罪になるのかは刑法上一つの問題になる。

三　Xは裁判所の命により精神鑑定をしたのは最初であると供述している。Xの鑑定も証拠の一つである以上はその証明力の判断は刑訴法三一八条により裁判官の自由心証に委ねられる。しかしまた鑑定は裁判所の知識の不足を補うために専門家の意見を求めるのであるから、自由心証といっても一般の証言のばあいと異なってその判断の枠はかなり狭いと考えなければならない。非専門家が専門家の意見を批判できるのはその資料の不十分、鑑定人の能力不足、偏見について他の鑑定等によって明らかにできたばあいに限られるのが原則であって、自然科学のばあいにはことにそうである。精神科学のばあいには裁判官もいちおうの経験者としてある程度の判断は可能であって、本問でも法廷でのAの態度、供述から推定して犯行当時の精神状態を推知し、心神耗弱の旨の判断をすることはできるであろう。すなわち精神科学のばあいには自然科学にくらべて証明力判断の余地はやや広いと考える。

（青柳文雄）

問題〔一二三〕 殺人被告事件につき、弁護人は、最終弁論で、「被告人は犯行を自白しているし、被害弁償もしているから、寛大な処分が相当である」と意見を述べた。その当否を論評せよ。

実務では、弁護人の意見として、設問のようなことがよく述べられる。それは、どのような意味を有するか。自白をしたことまたは被害弁償をしたことは、量刑上どのような意味をもつか。本問はこれを問うものである。

＊　＊　＊

一　まず、自白について。結論を先にいうならば、自白(自認)をしたことそれじたいは、量刑上考慮されるべき事情となりえない。

被告人に悔悛・悔悟の情の存在することは、量刑上有利に考慮されるべき事情であるといえる。その存在しないばあいに比して、被告人の悪性の弱いことが推認されるからである。しかして、その存否は、被告人の言動にもとづいて判断される。被告人の言動が悔悛の情の徴表となるためには、彼が真実罪を犯していなければならない。したがって被告人の犯罪事実についての供述は、悔悛の情の表われとしての言動に密接な関係をもつ。しかし、自白とは、犯罪事実についての自己の刑責を認める旨の供述をいうにほかならず、それは自己の犯行を悔悟した結果なされるとはかぎらない。自白の原因・動機については、いろいろのことが考えられる。たとえば、他人の身代わりとなるため、共犯の刑責の追及を免れさせるため、自己の他の犯行の発覚をおそれるため、早期に服役をすましたいため、法の理解に誤りがあり、ひいては自己の責任の重大性を誤解したため、世間の非難を回避するため、など。したがって、自白そのものとしては、悔悛の情の徴表としての意味も、被告人の性格判断の尺度としての意味もこれを有しないのである。

佐伯博士は、被告人の供述の自由を保障するという観点から、自白は量刑にあたって絶対に考慮してはならないと説かれる（佐伯千仭「量刑理由としての自白と否認」木村博士還暦祝賀論文集（下）所載）。この考え方そのものには何人も異論がないであろう。自白が性質上量刑事情となりえないことは、前述のとおりである。実務で量刑事情として問題とされるのは、単なる供述としての自白ではない。それは、犯罪事実について自己の体験を述懐する被告人の態度である。その態度からして、悔悟の情が認められるかどうかということが問題なのである。同博士も、もちろんこの点を念頭において立論されている。この点を考慮してなおかつ右のように説かれるのは、人権保障の見地から、実務が安易に流れることを心配されたことによるのであろう。くり返していうならば、一方において、自白は量刑事情となりえないから、量刑にあたってこれを考慮すべきでないことは当然である。他方において、被告人の言動は性格の徴表としての意味をもつから、量刑にあたってこれを考慮することは許される。要は、自白すなわち性格の徴表と即断することがあってはならないのである。同博士の立論は、量刑の運用についての警告として傾聴に値するというべきであろう。

ついでながら、被告人の否認についても、右に準じて考えることができるであろう(なお、ドイツでもアメリカでも、同じようなことが問題とされているようである。ドイツにおける実情および論議については、佐伯博士の貴重な紹介がある(前掲)。アメリカにおけるそれについては、Comment: The influence of the defendant's plea on judicial determination of sentence, Yale L. J., Vol. 66 No. 2, Dec. 1956 参照)。

二 つぎに、被害弁償について。被告人が被害弁償をしたことは、被害者、設問では殺された者の遺族が慰藉を受けたことを推認させる。被害者が慰藉を受けたことを量刑上被告人に有利な事情として考えることは、いちおう社会常識の承認するところであるといえよう。被害弁償そのものはかような意味しか有しない。被害弁償の事実は必ずしも被告人の性格評定の尺度とはならないのである。それは、ことさらに社会的非難を回避するため、あるいは悔悛を仮装してなされることもあって、必ずしも悔悟の情にもとづくものではない。またそれは、被告人の資力によって左右されることがらでもある。しかし、ここでも、被告人の被害者を慰藉する態度は問題となりうる。その態度が悔悟の情の徴表となるとき、それは量刑事情としての意味をもってくるのである。

三　以上述べたことは当然のことであって、こと新しく論ずるまでもないといえるかもしれない。設問のような発言があったところで、専門家が量刑の運用を誤るおそれはないのではないかとの反論も予想される。しかし、自白をしたことあるいは被害弁償をしたことそれじたいが性格決定の尺度たる量刑事情としての響きをもつことは否定できない。注意を要するゆえんであろう。のみならず、設問のようなことばが安易に使われると、社会一般に量刑事情についての誤解を生じさせるおそれがある。自白についての誤解は、供述の自由を制限する結果を招来しないともかぎらない。

四　設問の発言は、ことばそのものとしては無意味であるだけでなく、弊害を伴うおそれがないともいえない。弁護人は、量刑事情となるべき実質を表明して、被告人の刑の軽くあるべき旨を強調すべきであった。

（柏井康夫）

問題〔二四〕　被告人は、公職選挙法違反で起訴されていたが、途中で大赦令が出たので、第一審は免訴を言い渡した。ところが、被告人は、選挙違反など身におぼえがないから、無罪を求めるといって控訴した。控訴裁判所はどうすべきか。

刑訴法上の古典的大問題たる、免訴性質論の訴訟上の意義を考えてもらうために、上訴にひっかけて問題を出してみた。

＊　＊　＊

一　まず、第一審の免訴の判決に対して、被告人にそもそも上訴権(上訴の利益)があるかどうかが問題となる。通説・判例は、一般に公訴棄却、管轄違、免訴の形式裁判に対して、被告人は上訴権がないと解している(たとえば、昭和二九・一一・一〇刑集八巻一一号一八一六頁、平野・刑事訴訟法三〇〇頁)。

これに対して有力な学説(団藤・新刑事訴訟法綱要(六訂版)四一四頁)は、無罪と免訴などを比べたばあい、無罪の方が有利なことは明らかだといって反論する。たしかに、実質的に観察して、無罪の方が有利なことは疑いがない。法律的にみても、無罪には一事不再理の効力があるが、形式裁判にはそれがない。もっとも、通説は、免訴には一事不再理の効力を与えるが、わたくしは、かつて、免訴も、裁判の性質として他の形式裁判と少しも違わないし、したがって一事不再理の効力もないということを論証したことがある。また、上訴権否定論者は、形式裁判によって解放されれば、無罪の推定があるというが、これも、あくまでも「推定」で、現実の無罪ではない。被告人が、一度公訴を提起された以上、推定ばかりでなく現実の無罪を求めえてよいはずである。

この関係で、被告人には、実体判決(無罪)請求権がないから、上訴ができないのだという説がある。しかし、これは訴訟条件がない、たとえば免訴事由があると確定したばあいのことで、上訴権は、まさにこの免訴事由にあたる事項があるかどうかを確かめてもらうための利益の問題である。免訴事由があるばあいに、無罪判決請求権がないことは確かだが、その事由がないとき、裁判所が有罪なり無罪なりの実体判決を言い渡しているのは、とりもなおさず被告人に実体判決請求権があるからなのである。以下で述べる関係では、実体判決請求権は大いに意味をもってくるが、上訴権の有無とはなにも関係がない。

こうみてくると、免訴に対して、被告人の上訴権を認めた方が合理的なように思われる。とくに、検察官には上訴の利益があるとされているのだから、当事者主義の観点からすると、被告人に上訴を許した方が論理に合う。しかし、通説・判例に反して、たとえこういう結論をとっても、本問のように、身においおぼえがないといって争うことは(大赦の存否ないし有効・無効でなく)、結局以下のような理由でできないことにはなる。これを考えてみよう。

その前に、通説・判例のように、上訴権がないというばあい、控訴審はどの条文で控訴を棄却するのだろうか。この点は、あまり問題とされたことはない。しかし、訴訟のロジックの問題だから、いちおう解明しておく必要がある。上訴権は、上訴の要件の問題で、全体としての訴訟でいえば、訴訟の適法要件つまり訴訟条件にあたる。したがって、これを欠けば、形式裁判で申立が却下されなければならない。上訴申立の「理由」がないのではない。そうすると、三九六条ではなく、三八五条ないし三八六条、少なくとも三九五条を理由として、控訴を棄却すべきことになるであろう。

二　被告人の無罪判決請求権と上訴権の有無とは関係がないことは、いまみたばかりだが、一般には、たとえば、大赦のばあいつまり免訴事由があるばあいは、免訴する一途であり、被告人は無罪を求めることができないから(つまり、免訴は形式裁判だから)、したがって、無罪を求めて上訴することもできない、といわれる。判例もそういっている。そこで「無罪を求めて上訴することはできない」というのは、正確には、上訴権がないというように理解すべきではない。上訴権に関しては、免訴が形式裁判か実体裁判かは関連がないからである。そのいずれであっても、上訴権の有無をもう一度考え直さなければならない。しかし、免訴の裁判がどういう本質をもつかは、無罪の主張ができるかどうかとは関係がある。そして、免訴を形式裁判と解すれば、免訴事由があるときは無罪の判決を求めることができないから、上訴でも、免訴事由を争わず(大赦じたい)、たんに無罪を要求することは、結局できないことになる。

これをもうすこし詳しく分析してみよう。免訴の裁判の本質をどう構成するかは、古くから争われてきた。かつては、免訴は、訴訟物である実体的公訴権ないし刑罰権そのものが消滅したばあいに言い渡される実体裁判で、実体審理の結果、犯罪事実を肯定できなければ無罪、できれば免訴を言い渡すのだと解されていた。この説によると、大赦令が出ていても、これにあたるのは、現実に犯罪行為をやっているばあいだけで、無罪ならあたりようがない。被告人が犯罪を犯したかどうかをとことんまできわめざるをえないわけである。したがって、無罪を求めることができるから、上訴権さえ肯定できれば、上訴審で無罪を主張することもできる。

これに対して、近時は形式裁判説が通説である。判例も、少なくとも大赦のばあいに、形式裁判であることを認めた(最判昭和二三・五・二六刑集二巻六号五二九頁)。実体審理を進めるまでもなく、被告人を一刻も早く訴訟から解放してやる方がよいとの思想にもとづく。この説によると、実体上の有罪・無罪を不問にして、形式裁判で手続を打ち切ることになり、被告人も無罪を要求することはできなくなる。したがって、この立場に立つと、たとえ上訴権が肯定されても、免訴事由、つまり大赦そのものの効力を争わないかぎり、無罪を求めて上訴しても容れられないことになる。

なお、このばあい、「上訴することができない」のではなく、上訴しても結局無罪を究明してはもらえず、免訴になるというのだから、「上訴の理由」がないことになる。

(田宮　裕)

問題〔二五〕　Xはある被告事件で無罪の判決の言渡を受けた。その判決理由では、Xが訴因に表示された犯罪事実を行なったことは証拠上明らかであるが、行為当時、Xは心神喪失の情況にあったのでその刑事責任を問うことはできないと判断されている。Xは右の判決に対して、「自分は犯罪行為にはなんら関係がないのであるから、原判決には重要な事実誤認がある」として控訴申立をした。かような控訴申立は許されるか。

判決の主文には不服がないが、その前提となる理由について、責任無能力と犯罪事実の不存在といった認定上の相違があるばあいにそれを不服として上訴できるかというのが本問の趣旨である。

＊　＊　＊

一　上訴は、控訴も上告もともに一定の不服申立が内容とされなければならないが、その不服には一般にどのような基本的な要件が必要とされるか、また、刑訴法三八二条の「事実の誤認があってその誤認が判決に影響を及ぼすことが明らかな」とはいったいどのような意味をもっているのか、さらに、Xの不服申立は右の規定に該当するか否か、以上のことがらが本問のねらいどころである。

このケースに類似した問題は他にも考えられる。たとえば、訴訟条件のかしを理由とする公訴棄却または免訴の裁判に対し、公訴事実の無罪を理由とする上訴ができるか、あるいは、証明不十分による無罪判決に対し、「罪とならない」ことを理由として上訴できるか、といった問題は、いずれも本問に類似した問題である。

二　上訴は原判決に対する不服申立であるから、上訴には必ず一定の不服申立が内容とされなければならない。上訴の前提となっている不服とはなにか、不服にはどのような基本的な要件がなければならないか、まず、その検討から出発する必要がある。

不服は原判決に対する単なる主観的な不満というのでは不可である。やはり、その不満は客観的な法的な利益が内在するものでなければならない。現行法における上訴の濫用の抑制や権利救済の趣旨(上訴理由の制限)からみてそう解すべきである。

そこで不服の内容とされている法的な利益とはなにかということになる。不服は原判決のありかたに由来するものであるから、その法的利益の内容もまた原判決にその基準を求めなければならない。結局、不服に内在する法的利益とは、判決によって影響をうけた権利侵害の事実について、その救済を求める当事者の法的な利益と解することができよう。その法的な利益の内容については、法は類型化(刑訴三七七条ないし三八三条)を行なっており、その型にあてはまらない事由を上訴理由とすることを禁止する立場をとっている。とにかく、上訴理由の類型化のうちには、不服申立として真に保護に価する客観的な法的な利益が含まれていることを知らなければならない。

三　責任無能力による無罪と犯罪事実の不存在による無罪とでは、判決の結論は同じであっても、その理由中の事実認定についてかなりの相違があることを認めなければならない。責任無能力を理由とするばあいは、その当然の前提として、構成要件該当の事実が存在すること、さらに、その事実が違法性をもつことが判断されている。ところが、他方の、犯罪事実の不存在を理由とするばあいは、構成要件該当の事実そのものの不存在を認定するのであるから、両者の間には認定上のかなりの相違があるわけである。かような認定上の相違によって生じた被告人Xの不利益は、はたして上訴によって救済するのに価する不服ということができるか、それが解決されなければならない。

両者のいずれのばあいでも、被告人の可罰的な法律関係が否定されているのであるから、判決の結論を中心としてみるかぎりは、被告人にとって重要な法的な利益が侵害されているとはいいがたいであろう。そうだとすれば、Xの不服申立には、不服に基本的な法的な利益が存在しないこととなり、上訴は理由がないこととなるであろう。はたしてかような論証づけでよいか。

真に救済に価する法的な利益があるかないかは、判決の結論のみを基準として考えることは正しくない。結論と理由とが統一的に一体をなしてこそ、判決の意義があり、また、当事者は正しい理由によって導かれた結論を期待する。刑訴法三八二条の事実誤認を上訴理由として認めている趣旨も、判決の理由となる事実の判断に当事者の法的な利益があることを認めたものにほかならない。構成要件的な行為があるとないとでは、立証の効果が違うばかりでなく、被告人の実体的な地位にも影響をもつ事実といわなければならない。やはり、犯罪事実の不存在を理由として無罪とすべきを、誤って責任無能力を理由としたばあいは、被告人にとって重要な法的な利益が侵害されたものであり、また、そのゆえの不服申立には、上訴に価する基本的な要件があるものというべきである(本問のようなばあいには、上訴に必要な基本的な法的な利益があるとしている学者にペーテルス、ヘンケルおよびヒッペルがある)。

最後に刑訴法三八二条との関係にふれよう。同条の「誤認が判決に影響を及ぼすことが明らかである」との判決とは、判決の主文のみをさすものでなく(判例では、判決の主文のみを意味するとするのが一般の傾向である）、理由と結論とが一体となった裁判所の統一的な判断をいう。判決の確定力（既判力）は、かような統一的な判断の全体について不可分的に生ずる。責任無能力を理由とする無罪と犯罪事実の不存在を理由とする無罪の判断とでは、既判力のありかたにも影響するであろう。かような意味で、本問のような事実誤認のばあいは、刑訴法三八二条のいう「判決に影響を及ぼすことが明らかである」に該当すると解することができる。

（鴨　良弼）

問題〔二六〕　被告人Xは殺人被告事件で終身刑の有罪判決を言い渡された。ところが、その判決の上訴期間中に、Xは死亡してしまった。そこで、Xの長男Yはその判決を違法として原審における弁護人Zに控訴を依頼した。かようなばあいの控訴は適法か。また、控訴裁判所は事件についてどのような処置をなすべきか。

本問は、ベーリンクの刑訴法の演習課題集から採りあげたものである。ちょっと考えると容易に解答ができそうであるが、その実、いろいろな基本的な問題が含まれていて解答は必ずしも容易ではない。

訴訟係属中における被告人の死亡は、訴訟法上どのような効果を生ずるのか、それが原審の判決前と判決後とで相違があるのか、上訴権の相続ということは認められるのか、さらに、上訴条件のかしと訴訟条件のかしとがからみ合ったときに、上訴裁判所はどのような裁判をすべきか、といった種々の基本的な問題が本問のうちには含まれている。

＊　＊　＊

一　訴訟係属中における被告人の死亡は、訴訟法上どのような効果を生ずるか、この点の検討からはじめよう。

訴訟関係は、訴因(訴訟の客体)の審理をめぐって展開される裁判所、訴追者、被告人間の法律関係である。そのいずれの主体が欠けても訴訟関係がなりたたない。このことは、第一審、上訴審を問わず、いずれの審級でも、訴訟係属中(訴訟の客体が裁判所の審理状態におかれ、その客体についての裁判が確定するまで)であれば、いいうることである。訴訟の客体や主体の存在することは、訴訟関係の成立するための要件である。

訴訟関係の成立要件と訴訟条件とは、理論的には区別する必要がある。訴訟条件は、訴訟の客体について有効に実体判決をなすための要件であって、訴訟関係が成立して後におこる問題である。ところで、本問のばあいであるが、被告人Xは、判決後の上訴期間中に死亡したのであるから、訴訟係属中において訴訟の主体の一つが欠けたことになる。先に述べた理論からすれば、従来、成立していた訴訟関係がXの死亡という事実によって消滅することとなる。訴訟関係の消滅したことは、Xに対して有罪判決があった後でも理論的には変わらない。刑訴法三三九条一項四号は、訴訟係属中であれば、いずれの手続の段階でも適用がある筋合である。被告人であるXが死亡すれば、公訴の名宛人も判決の名宛人も存在しないこととなり、すでになされている判決は、その効力を生ずる余地がない。

二　Xに対する有罪判決はXの死亡によって確定するか。

もちろん、判決は確定しない。判決の確定は、現行法では、当事者の上訴期間の徒過、上訴権の放棄・取下、最終審の上訴棄却などの原因によって生ずるものであって、被告人の死亡は判決確定の原因とはならない。先にも述べているように、Xの死亡によって訴訟関係が消滅するのであるから、Xに対する有罪判決もその効力を失うこととなる。判決の言渡という事実があっても、その法的効果は生じない。

本問では上訴権の相続ということが問題とされている。結論を先にすると、現行法上、上訴権の相続は認められない。上訴権は当事者に固有のものであって、その帰属は一身専属的なものと解すべきである。たとえXが自己に対する有罪判決に不満であったとしても、その不服申立をなしうる地位は法的にその遺族に承継されることはない。そうだとすれば、Xの長男Yの原審弁護人Zに対する上訴依頼は、上訴権なくしてなされた依頼であって、法的には無効のものである。

三　控訴裁判所はZの上訴申立に対してどのような処置をなすべきか。

すでに述べているように、Xの死亡によって訴訟関係は消滅しており、また、有罪判決は無効となっている。純理論的にみれば、裁判所は事件についてなんらの法的な処置をしなくてもよい筋合である。しかし、手続の確実性という点からみて、すでになされている有罪判決に対し、なんらかの法的処置をとる必要があろう。刑訴法三三九条一項四号の規定の趣旨もそこにあるわけである。

ところで、Zの上訴申立は先にも述べているように、上訴権なき上訴であるから、その上訴は上訴条件を欠いた不適法な申立である。控訴裁判所は、Xの死亡の事実を認めて、刑訴法三九五条によって控訴棄却の形式裁判をなすべきである。Xの死亡の事実は、上訴条件に関係することであるから、その審理は職権調査の対象となる事実である。もちろん、その証明は自由な証明でよい。

本問のばあいに、控訴裁判所は控訴棄却の形式裁判だけでその処置を尽したかというと、そうではない。事件は第一審から控訴審へと係属しているのに、訴訟関係は第一審におけるXの死亡の事実によってすでに消滅している。この訴訟関係の消滅の事実に対してなんらかの手続的な処置をとる必要はないか。現行法は、かようなばあいの処置として、刑訴法四〇四条を予定していることを知らなければならない。控訴裁判所は、同条の規定によって刑訴法三三九条一項四号を準用し、公訴棄却の決定をなすことができる。

要するに、本問は、訴訟関係の成立と訴訟条件との関係、上訴条件と訴訟条件との関係といった基本問題の理解を求めているものである。

（鴨　良　弼）

問題〔二七〕　左のばあいには、控訴裁判所は事件をどのように処理すべきか。

(1)　原審は公訴棄却の決定をなすべきであったのに、誤って公訴棄却の判決を言い渡したということを理由とする検察官の上訴申立。

(2)　累犯加重を行なった原審の判決に対し、その前科の認定は前科調書の誤記による誤判であるという被告人の上訴申立。

判決に対する上訴は普通上訴（控訴、上告）、決定に対する上訴は抗告というように、上訴の方式が現行法では区別されている。ところが、本来、決定で裁判を言い渡すべきばあいであるのに誤って判決の形式で言渡をしたとき、上訴の形式は現に言い渡された裁判の形式によるのか、または、なすべきであった裁判の形式によるのか、問題である。本問の(1)は、上訴の方式のかような基準性をたずねている。手続法は手続の形式性についてきびしい法則を設けて手続の確実性や迅速性を担保している。手続の形式性がいい加減に判断されてはならない。

前科の事実の誤判は、実体的事実（罪となるべき事実）の誤認か、あるいは手続的事実の誤認か、上訴審でのこの点に関する取調は自由な証明でよいか否か、そういったことがらをたずねているのが(2)の問題である。

*　　*　　*

一　公訴棄却の決定をなすべきであったのに、誤って公訴棄却の判決をしてしまったとは、どういうばあいであるか、その実例をあげて考えてみよう。たとえば、起訴状の謄本が法定期間内に被告人に送達されなかったので、公訴が無効であり、その無効を理由として公訴棄却の裁判をするとき（刑訴三三九条一項一号）、公訴事実が犯罪の構成要件に該当しないことが、なんらの実体審理を要しないでも明らかなるとき（同二号）訴訟係属中に被告人が死亡していわゆる訴訟関係が消滅してしまったとき（同四号）などが、公訴棄却の決定をなすべきばあいである。これらの事由は、いずれも訴訟条件ないし訴訟成立要件の最も本質的なものであって、そのかしは手続上のかしのうちでは最も致命的なものである。

刑訴法三三八条の公訴棄却の判決は、同じく訴訟条件に、かしにもとづくばあいであっても、そのかしの程度は、訴訟関係の成立に影響するようなものではない。条件に関する事実の審理は、やはり口頭弁論にもとづいて行なわれることが必要である。手続上のかしのありかたにもランクがあり、また、審理の程度にもランクがある。したがって、裁判の形式にも、決定と判決という段階的な差異があるわけである。本問(1)は、かような手続上の形式を無視した手続法令違反の裁判に対して、どのような形式の上訴方式が許されるかということを問うている。

本問のようなばあいの上訴方式は、上訴の対象となっている原裁判の性質によって定まるものといわなければならない。上訴審が抗告裁判所であるか、普通上訴としての控訴裁判所であるかは、原裁判の形式だけを基準として決定することは正しくない。本問と反対の事例を考えてみると容易にそのことが理解されよう。たとえば、証拠上の単なる手続的な問題について裁判所が誤って判決の形式で裁判を与えたばあいには、裁判の形式だけを基準として考えるとすれば、その上訴は控訴裁判所とならざるをえない。しかし、証拠上の単なる手続的な問題は、独立して普通上訴の対象とはなりえないものであって、かような問題は判決に対する上訴に付随して普通上訴審に係属すべき筋合のものである。裁判に対する上訴が普通上訴の形式によるか、抗告の形式によるかは、上訴審の管轄のありかたに関係しており、単に裁判の形式からだけでは判断することはできない。上訴の対象となっている事件の性質、裁判の実質的な内容によって、上訴審の管轄が決定されるべきである。

本問のばあいは、本来、公訴棄却の決定であるべきであったのに、誤って公訴棄却の判決をしたというのであるから、その裁判の誤りは訴訟の成立要件ないし訴訟条件上のかしの判定のありかたに影響をもっており、単なる抗告審の審理対象とすべきではない。控訴裁判所は不服申立が理由ありとするときは、刑訴法四〇三条を適用し、あらためて、公訴棄却の決定をなすべきである。

二　本問(2)はたとえばつぎのようなばあいに問題となるであろう。前科調書では、被告人について、昭和三二年一〇月一日、窃盗罪の懲役一年の刑の言渡が確定し、昭和三三年九月三〇日その刑期が終了したとの記載があるが、事実は昭和三二年とあるのが昭和三一年の誤り、また昭和三三年とあるのは昭和三二年の誤記であったというとき、そして公訴に係る犯罪事実が昭和三七年一一月一五日に行なわれたというばあいは、累犯適用が誤ったことになろう。

前科に関する事実は厳密には「罪となるべき事実」ではない。しかし、それは刑罰権の範囲の決定に関する事実である。前者を罪責問題 Schuldfrage に関する事実、後者を科刑問題 Straffrage として理論的には区別している。しかし、いずれの事実も被告人にとっては重要な事実であり、訴訟の客体に関係をもった重要な事実である。一般には、前科の事実は具体的な刑の量刑に関係し、量刑は裁判官の裁量に属するものであるから、前科の事実もまた、裁判官の裁量による証明(自由な証明)でよいということになるであろう。しかし、累犯のばあいは、刑の法定加重に関するばあいであり、処断刑のありかたについては、裁判官の裁量は厳格に法によってコントロールされている。かようなばあいもまた、自由な証明でよいかが問題である。やはり、刑罰権の内容決定について法の制約がある以上、その制約の趣旨からいっても、累犯にあたる前科の事実は、一般の前科と区別し、厳格な証明でなければならない。そう解しなければ、法の制約の趣旨が徹底しないであろう。

本問のように、累犯にあたる前科の事実の誤認は、実体的事実の誤認であると同時に、厳格な証明の立証過程上の誤りであり、またその故に法令の適用の誤りを生ずるばあいである。したがって、控訴裁判所は、はたして原審が累犯事実に誤認があったか否かを吟味し、もし誤認があると判断すれば、刑訴法三八〇条、三八二条、三九七条を適用して原判決を破棄することができる。

(鴨　良弼)

問題〔二八〕　被告人は、a、b、c三個の横領の罪で起訴された。裁判所は、起訴事実のうち、a、b二個の横領の罪を認めて被告人に懲役二年の刑を言い渡し、cの横領の罪については、判決の理由でcの事実はbの罪の一部にあたり証拠不十分であるとして、主文にとくに無罪の言渡をしなかった。検察官は、cの横領の事実について事実誤認があるとして控訴した。かようなばあい、控訴裁判所は、事件をどのように処理すべきか。

本問には、訴訟の客体の単一性の問題（公訴事実の単一性）と判決の一部上訴（判決の一部既判力）の問題が含まれている。

＊　＊　＊

一　本問に類似する判例としては、昭和二八年九月二五日の最高裁の判決（刑集七巻九号一八三二頁）がある。その事案は、つぎの要領である。窃盗a、b二個の罪と外国人登録令違反のcの罪とが起訴されたのに対し、第一審はaの罪のみを認めて他は無罪としたので、検事はその判決に対し無罪部分のみを控訴した。ところが、控訴審は直接、控訴申立をしていないaの事実を贓物運搬と認め、さらに無罪部分はすべて有罪であると判決した。検事上告による最高裁の判決で、結局原審判決は破棄されている。

公訴事実の単一性をどのような基準で定めるか、一部上訴とはなにか、その効力は判決の確定についてどのような影響をもつのか、そういったことがらが、本問では吟味されなければならない。刑訴法三五七条は、本問のようなばあいにどのように作用するか、公訴不可分の法理とも関連して検討する必要がある。

二 まず、訴訟の客体の個数について、公訴と判決とで、判断の相違があることを注意する必要がある。公訴では、a、b、c三個の横領罪がその客体とされているのに、判決では、客体はa、b二個の横領罪となり、cの事実は独立の罪と認められていない。訴訟の客体の個数いかんは、最終的には裁判所の判断によってきまるのであるから、個数について公訴と判決とで評価上の相違が生ずることは、許されてよい。公訴の対象となっていない事実を判決で新たな独立の罪として認定することは、不告不理の原則からみてもちろん許されない。本問では公訴された事実について罪数上の評価が公訴と判決とで相違するにすぎないから、不告不理の問題は生じない。

訴訟の客体の個数を決定するについて、どのような基準を求めるかについては、種々の見解が分れている。客観説は構成要件に基準を求め、主観説は犯意に基準を求めている。判例の態度は前説に従っているようである。いずれの説も、刑法規範のみに基準を求めているが、訴訟の客体は犯罪事実であると同時に立証のテーマ、判決のテーマであるから、その個数の基準は刑法ばかりでなく、訴訟法にも基準を求めるべきである。常習犯罪のような慣行犯が訴訟の客体となるばあいには、客体の個数が確定判決によって影響を受けることを知るべきである(ある常習賭博の公訴事実について確定判決があったばあい、同一人の事後の常習行為は新たな独立の罪として訴訟の客体となしうる。このばあい、慣行犯としての包括的単一性は確定判決によって影響を受ける)。

三　cの横領の事実について、裁判所はなぜ主文で無罪の言渡をしないか。公訴不可分の法理からcの事実についての無罪の言渡は許されないことを知るべきである。公訴不可分の法理は、分割起訴(Teilprozess)と分割判決(Teilurteil)の禁止を意味し、訴訟係属や判決の効果は訴訟のテーマとなっている本件の全部について統一的に生じ、部分的にその効果の発生することを禁止することをいう。本問のようなばあい、裁判所がcの事実をbの横領罪の一部を構成すると判断したのに、もし証拠不十分の故にこれを主文で無罪とすれば、理由とその結論とで訴訟の客体の個数について判断を異にしたことになる。理由で一罪の一部と判断すれば、その結論である主文でも一罪の一部として取り扱わなければならない。主文でcの事実の無罪を言渡することは、主文と理由とで客体の個数についての判断の統一性をみだすばかりでなく、分割判決(Teilurteil)をあえてしたことになり、公訴不可分の法理に違反する。かような意味で、実務でも、本問のようなばあいは、cの事実については主文でとくに無罪の言渡をしないで、ただ判決の理由中にbの罪の一部であること、そして、それが証明不十分であることを明らかにしている。

四　検察官の上訴は原判決中のcの事実に限定してなされているが、はたして上訴の効果はcの事実にのみ限定されるべきか、または、直接、不服申立をしていない、a、bの横領の部分にも上訴の効果が及ぶか。

刑訴法三五七条は、「裁判の一部」に対して上訴をなしうる旨を規定している。このばあい、「裁判の一部」とは判決の主文を基準として考えるべきであり、主文の判断内容が可分であるとき、はじめてその一部について独立的な上訴が可能である。

訴訟の客体が併合罪の関係にあるときは、客体は複数である。しかし、これについて宣告刑を言渡するときは、刑法四五条、四七条、一〇条の適用をうけ、そのもっとも重い罪の刑に法定の併合加重をした刑期の範囲内で刑を処断しなければならない。結局、訴訟の客体は複数であっても、主文の刑は一体となり、その意味では主文は統一不可分である。したがって、かようなばあいは一部上訴ということがありえない。

主文の判断が可分であるとは、たとえば、つぎのようなばあいである。併合罪のある罪について有罪（懲役刑、罰金刑いずれでもよい）、他の罪について無罪の言渡あるとき、あるいは、ある罪について懲役刑、他の罪について罰金刑のように数個の罪について刑の種類を異にして言渡があったとき、そういったばあいには、主文はいずれも可分であり、刑訴法三五七条の「裁判の一部」に該当する。

そうだとすれば、本問のようなばあいは、原判決ではcの事実はbの横領罪の一部とされ、しかも主文の刑は一本であるから、たとえ検察官がcの事実に限定して上訴したとしても、上訴は一部上訴としての効果を生じない。したがって、上訴によって、a、bの他の横領罪にあたる事実についても移審の効果を生じ、その部分についての判決の確定力は停止される。控訴審では、結局、事件のすべて（併合罪の関係にあるすべての事実）が事後審査の対象におかれるわけであるから、控訴裁判所は控訴趣意書によって審判義務が制約されつつも、なお、本件の全体について職権審理をなしうる余地がある。

（鴨　良弼）

問題〔二九〕 被告人は、他人の自動車を無断で一時間ほど乗りまわした。第一審は、使用窃盗は罪にならないといって無罪。検察官が控訴して破棄され、差し戻された第二次の第一審で有罪に変更された。被告人は、控訴したがやぶれたので、最高裁に上告した。この上告の寸前に、最高裁は、別件で使用窃盗は罪にならないという判断を出している。最高裁は、本件をどう処理すべきか。この有罪と無罪が入れかわって、最高裁は、使用窃盗でも窃盗が成立するとし、検察官が無罪判決に対して上告したばあいはどうか。

裁判所法四条の、「上級審の裁判における判断は、その事件について下級審の裁判所を拘束する」という規定が、刑事事件でどういうあらわれ方をするかが問題点である。

* * *

ところで、同条には、「下級審の裁判所を拘束する」としか書いてない。そうすると、本問では、差し戻された第一審しか拘束されないか。つまり、第二次の第二審も拘束される必要はなかったのか。しかし、第二次の第二審で前の判断をくつがえせるとしたのでは、第一審が拘束されてみたところで意味がなくなってしまう。そこで上級裁判所じたいも拘束される、つまり、第二次の第二審も拘束されると解さなければならなくなる。本問の控訴審も、この考えに従って控訴を棄却したものと思われる。いわば下級審への拘束力の反射で、四条の拘束力の中へ入れてよい。ここまでは確かである。

問題は、最高裁まで拘束されるかである。裁判所法四条は、この点になると、表面上は何もいっていない。そこで、同条がなぜ認められるのか、という問題を考えることによって、手がかりをつかまえよう。

わが国では、とくに民訴の分野では、右の拘束力を、判決の確定力の概念で説明しようとする(兼子「上級審の裁判の拘束力」民事法研究Ⅱ八七頁)。かつて、破棄判決は一種の中間判決と解され、独立の上訴の申立ができず、したがって確定力もないものとされたが、現在では、終局裁判であることが承認され、判例も独立の上訴を許すようになった(最判昭和二五・一一・二二刑集四巻一一号二三七二頁、同昭和二六・一〇・一六民集五巻一一号五八三頁)。そうすると、上訴期間の経過で確定するはずである。終局裁判が確定すれば、確定力が発生する。したがって、同一事項についての再度の判断が排除(または拘束)されるから、これを争う上訴の主張も棄却される。確定力であるから、同一事項を扱うかぎり、どの裁判所でも同じことである。上告審である最高裁でも同様であろう。

この確定力説に従うと、本問で、最高裁は上告を棄却しなければならないことになる。たとえ、判例が変更されていてもそうである。確定力とはそういうものである。たとえば、確定後に法律の改廃があっても、以前の無罪の確定判決が当然にくつがえるということはない。

しかし、昭和三二年一〇月九日の最高裁の判決は類似の事案で、「最高裁判所は、差戻判決に示された下級審裁判所の法律上の判断に拘束されないものと解すべきである」といって、反対の見解をとった。人事院規則一四―一七は、公務員が「特定の候補者」を支持することを禁止しているが、ここに「立候補しようとしている特定の者」を含むかが争われた。最高裁は、含まないと判断して、高裁の判決を破棄したのである。この立場は、裁判所法四条を確定力にもとづくものでなく、同一事件を審判する各審級の判断が一致しないため、事件の完結が延引することを防ぐための、政策的な規定だとする。したがって、同条は文言通り狭く解釈することになる。この立場をとると、事件は第一審と第二審の間を一回空転したことになって手続の無駄を承認することになり、また、破棄判決じたいに上訴ができるとする先の判例と並べると、被告人の懈怠をことさらに救済するという不合理もある。しかし、最高裁のもつ法令解釈の統一という機能を重視したのだと説明される。

この二つの立場は、どちらも一面に偏していると思われる。一方で、破棄判決じたいに確定力はあるとしなければならない。そうでなければ、先の判例と矛盾することになってしまう。ところが、他方で、刑事事件では、つぎのような配慮も必要である。すなわち、刑事では、非常上告で法令違反を理由に確定力をくずすことができる。とくに被告人に利益な方向に許される(刑訴四五八条一項但書)。したがって、どうせ非常上告で原判決を是正して被告人を救済しなければならない以上、最高裁は、これを通常の上告で考慮してもよいのではないか。つまり、本問のようなばあいは、法令違反が明白なばあいだから、一種の非常上告の役をはたすことになる。ただ、こうすると、控訴審の判断に拘束力を与えた意味が弱くなるが、この限度で確定力が弱まるとみるべきであろう。

こうして結局最高裁としては、判例のように、原判決を破棄することができることになる。ところが、これは被告人に利益な方向でだけである。一種の非常上告で確定力をやぶるのであるから、検察官は有罪判決の破棄は求めることができない。最高裁は、上告を棄却し、非常上告を待って、法令の違反だけを破棄することになる(刑訴四五八条一項本文)。

(田宮　裕)

問題〔三〇〕 A、Bを強盗殺人の共同正犯として死刑の判決を言い渡した一、二審判決に対し、被告人Bから最高裁に上告があり、最高裁ではA、Bの共同犯行であるとのAの自白は信用できない点があり、Aの単独犯行の疑いもあるとして原判決を破棄して事件を原審に差し戻した。

高裁ではさらに審理をしてBの当夜のアリバイを当時証言していた証人X、Y、Zが偽証罪の確定判決を受けていて、今回の公判ではいずれも前の証言を翻えしてBのアリバイを否定したのにかかわらず、最高裁の指摘するとおりAの自白は信用できず、また本件はAの単独犯行であり、偽証を認めたX、Y、Zの証言も事件後数年を経た後のことで信用できないとしてBに対して無罪の判決をした。

検察官の再上告は事実誤認の疑いを理由とするものであって、本件は最高裁の別の小法廷で審理されたが、今度は偽証であるとの確定判決のあった事実は極めて重大であって、これを加えて判断するとAの自白は信用できるし、また本件は共同犯行と認めるべきだとの結論が出て、事実誤認の疑いがあるとして事件は再び原審に差戻になった。

裁判所法四条の破棄判決の拘束力はこのばあいにどうなるか。

本問では、有名な八海事件を例に求めてみた。審級間を何回も往復したので、拘束力の問題を考えるのに好個の事例だろう。事実誤認にかかわることを忘れないでいただきたい。

* * *

一　最高裁は憲法違反を救い、判例の統一を図る裁判所であって、ことに視野の広い憲法判断の要請から、広く司法の実務に経験をもたない人をも含めて裁判所を構成しているし、その一五人という数からいっても、すべての法令違反、事実誤認、量刑不当、再審事由等の審査をすることは不適当でもあり、不可能でもあるから、これらは上告審の職権による破棄事由にはなっても、上告理由とはされていない。ことに伝聞証拠を排斥し、被告人、証人の公判廷の供述を主たる証拠として事実を認定する仕組みの現行法では、被告人に質問したり、証人を尋問したりしない建前の最高裁で事実誤認の有無を書面審査することは非常に困難である。刑訴応急措置法の時代に事実誤認、量刑不当は上告理由にも破棄理由にもされていなかったが、その頃は伝聞証拠排斥の原則がなかった。この原則を採用した現行刑訴法が却って四一一条に上告理由ではないが職権で破棄できる事由を定めたのは立法論として疑わしい。

二　それはともかくとして最高裁は刑訴法四一一条三号にいう事実誤認とは事実誤認の疑いで足りるといい、その根拠を最高裁では事実の取調ができないからだとしていた（最判昭和二八・一一・二七刑集七巻一一号二三〇三頁）。この結論は、最高裁でも書面については事実の取調ができるとされた昭和三四年八月一〇日大法廷判決（刑集一三巻九号一四一九頁）後も維持されている。このように破棄理由を広めるのは明文に反するとの反対もあるが、事実誤認と事実誤認の疑いとは程度の差に過ぎず、本質的の差ではないから明文に反することはないであろう。しかし、このような態度は最高裁が著しく正義に反するかどうかについて慎重な検討をしていないのではないかと疑われるいくつかの判例、たとえば昭和三〇年一月一四日第二小法廷判決（刑集九巻一号五二頁）等とともにいたずらに破棄判決を多くし、さらに無用の上告を招くという悪循環を来していると思われる。

三　裁判所法四条は破棄判決の拘束力を規定している。この本質は議論があって、確定判決の効力として考える立場と審級制度の必要性から生ずると考える立場がある。昭和二五年一〇月二五日大法廷判決（刑集四巻一〇号二一三四頁）は前説のようであるし、昭和三二年一〇月九日大法廷判決（刑集一一巻一〇号二五二〇頁）は後説のようである。前の判例は先の上告審の破棄判決が誤っていたところで、それに拘束されてした差戻後の判決は違法でないことを説明し、後の判例は控訴審の差戻判決に拘束されてした一審判決がさらに控訴、上告されたとき、上告審はその判断に拘束されないことを説明している。確定判決の効力説をとると後の判例のばあいには結論が逆になるはずである。

また裁判所法四条は法律点について拘束されると限定していないので事実点をも含むと解されるが、事実点のばあいは右のどの理論によったところで資料が同一であることが前提とされるから、新しい証拠が提出された結果従来の個々の証拠の証明力、または全体の綜合的評価が異なってくるようなばあいまで、同一級にある上級審はもとより下級審をさえ拘束するものではないし、この点は別に争いはない。

四　この問題に右の理論をあてはめると破棄差戻判決についていずれの立場をとっても、第二回目の二審で新たに提出されたX、Y、Zの偽証の証拠という新しい資料があるので、第一回目の上告審のしたAの自白は信用できない点があるし、Aの単独犯行の疑いがあるとの判断は第二回目の控訴審を拘束するものではない。ことにこの問題では第二回目の控訴審はAの自白は信用できないとしてAの単独犯行と認めたのであるが、このような積極的判断までは裁判所法四条の拘束力からは生じないから、再度の上告審が第一回目の上告判決の判断に拘束されないで新しい資料を考慮するとAの自白は信用でき、A、B共同犯行と認められるとするのもなんら違法ではない。新たな資料がでなければ三度目の控訴審、上告審はこの判断に拘束されることになろう。

（青柳文雄）

問題〔三一〕　Xは重過失による失火の罪に問われ、自白、その他の証拠によって禁錮一年の有罪判決を受けた。その刑の服役中に、Xは看守に対し、右の過失の事実は嘘であり、実はYと共同の行為による放火であって、なお、放火の際にその被害現場からある品物をも窃み取ったことを告白した。検察官は新たに右の放火と窃盗の事実について、XおよびYを起訴することができるか。

本問は、判決の既判力についての応用問題である。判決の既判力は、起訴されていない共犯者に及ぶか(既判力の主観的範囲の問題)、過失の事実と放火の事実とは公訴事実の同一性を有するか(既判力の客観的範囲の問題)、判決の理由は独立して他の裁判に対し既判力としての基準性をもつか(既判力の対象となる判決の範囲の問題)、さらに、窃盗の事実に既判力の効果が及ぶかといった重要ないくつかの問題が含まれている。

*　*　*

一　犯人は、よくわざと軽い犯罪の自白をしてその有罪判決をうけ、重い犯罪の追求を免れようとすることがある。本問では、Xは判決確定後、軽い犯罪の刑の受刑中に重い犯罪の自白を行なっている。はたして、かようなばあいに、検察官はどのような処置をなすべきか。判決の既判力の内容を理解していないと適切な処置はできない。既判力の実務上の活用をたずねているのが本問の趣旨である。

二　確定判決の対象となっている事実は、Xの重過失による失火(刑法一一七条ノ二)である。この失火の事実について、Xは、自己の虚偽の自白によるものであって、実際は故意にもとづく放火であると看守に告白する。はたして、Xの自白が真実であるか、あるいは、看守に告白した内容が真実であるか、その事実の判断は問題であろうが、ここでは、告白した事実が真実であることを前提として論を進めなければならない。

失火の事実と放火の事実とで公訴事実の同一性があるか。公訴事実の同一性を定める基準をいずれに求めるかについては、判例や学説について見解の相違がある。

構成要件共通説(団藤教授の見解)では、双方の事実が構成要件的にみて重なりあっておれば、公訴事実は同一性をもっているとする。基本的事実説(判例の見解)は、双方の事実が基本的な事実(たとえば、被害物件・犯罪の日時・場所・犯罪の方法など)で一致していれば、事実の同一性があるとする。罪質説(小野博士の見解)では、公訴の対象とされている事実の罪名とその評価に重きをおき、犯罪の質的相違に事実の同一性の基準を求めている。

本問のばあいは、いずれの説をとっても、公訴事実の同一性は認められるであろう。本問の失火と放火とでは、犯罪の主観的要素を除けば、すべて事実は共通しており、また、失火も放火もともに、Xの内心的要素が火災という共通の結果に結びつく点では共通している。ただ、注意義務の懈怠によって結果の発生が避けられなかったか、結果の発生を容認していたかの相違があるにすぎない。

確定判決の効果(既判力)は、その判決の内容となっている同一事実の全体について生ずる。本問のばあいは、Xの失火の行為とXの放火の行為とで公訴事実の同一性があるのであるから、既判力は放火の事実について一事不再理の効果としてあらわれる。したがって、たとえ、事後に至って放火の事実が判明したとしても、検察官は新たにXの放火の事実について公訴を提起することはできない。

三　検察官は共犯によるYの放火の事実を起訴しうるか。

答は肯定しなければならない。このばあいは、確定判決の効果は及ばない。確定判決の対象とされているのは、Xの失火の行為であって、Yの行為ではない。放火の事実がたとえX、Yの共犯であっても、公訴の効力や判決の既判力は公訴の名宛人や判決の名宛人について単一に生ずるのであって、効力が名宛人以外の者に及ぶことはない。これが既判力の主観的範囲に関する問題である。Xに対する確定判決後に、Yの共犯による放火が新たに判明したとしても、その事実に確定判決の効果は及ばない。したがって、検察官はYの放火の事実について証拠をかためて公訴提起ができるわけである。

Yの放火の事実が起訴されたとして、Yはそのばあい、Xの失火の事実についてなされた確定判決の理由をもって自己の行為に対する既判力的な基準ありと主張できるか。換言すれば、確定判決の基準性は、その判決の理由について可分に、独立に生ずるかということである。判決の既判力は、判決の主文と理由とについて統一的に不可分的に生ずるのであって、その理由が単独で他の判決に対し基準性をもつことはない。したがって、本問のばあいは、Yは右の確定判決の既判力を理由に無罪を主張することはできない。

検察官はXの窃盗の行為を起訴できるか。

Xの窃盗の行為は、Xに対する確定判決の内容となっている事実ではない。したがって、判決の既判力はXの窃盗行為に及ばない。既判力の効果である一事不再理は窃盗行為について生じないのであるから、検察官は当然その事実について公訴提起ができる。確定判決の対象とされた失火の罪とこの窃盗の罪とは、もともと併合罪の関係にあったものであるが、そのうち、とくに失火の罪が起訴され判決がなされたに過ぎない。裁判所は、右の窃盗罪の事実については刑法五〇条を適用し、実体裁判を行なうことができる。

（鴨　良弼）

事項索引

た

ち

つ

て

と

に

は

ふ

へ

<編者紹介>
昭和17年　東京大学法学部卒業
現　　職　東京大学教授
主　　著　刑事訴訟法（法律学全集）
　　　　　矯正保護法（法律学全集）

自習刑事訴訟法31問

編　者　平《ひら》野《の》龍《りゆう》一《いち》
発行者　江《え》草《ぐさ》忠《ただ》允《あつ》
東京都千代田区神田神保町 2~17
発行所　株式会社　有斐閣
電　話　東　京（264）1311（大代表）
郵便番号〔101〕振替口座東京 6-370 番
本郷支店〔113〕文京区東京大学正門前
京都支店〔606〕左京区田中門前町44
昭和40年 8 月30日　初版第 1 刷発行
昭和52年 3 月30日　初版第13刷発行
印刷　萩原印刷所　製本　明泉堂製本

1032-039813-8611

自習刑事訴訟法31問（オンデマンド版）

Digital Publishing

2002年2月28日　発行

著　者　　平野　龍一
発行者　　江草　忠敬
発行所　　株式会社有斐閣
〒101-0051　東京都千代田区神田神保町2-17
TEL03(3264)1314（編集）　03(3265)6811（営業）
URL http://www.yuhikaku.co.jp/

印刷・製本　株式会社　デジタルパブリッシングサービス
URL http://www.d-pub.co.jp/

AA835

ISBN4-641-90234-8　　Printed in Japan